Fouad EL-Auwad Hrsg.

فؤاد آل عواد

Zartheit des feuers

نُعومَةُ النّار

gedichte

قصائد

Titel: "**zartheit des feuers**" (Gedichte)
Übersetzt und herausgegeben von **Fouad EL-Auwad**
Publikation: 2015 / Spezial für **Edition Lyrik-Salon**

Titelbild: Fouad EL-Auwad
Satz & Layout: Edition Lyrik-Salon
www.lyrik-salon.de
Arabisches Lektorat: Ahmad Eskander Suleiman
Biografien: Christoph Leisten
Edition Lyrik-Salon Spezial 2015
Die Texte von Hartwig Mauritz und Volker Sielaff sind ins Arabische
übersetzt von: Hedil Al-Rashid unter Mitarbeit von Fouad EL-Auwad.

Herstellung und Verlag:
BoD - Books on Demand, Norderstedt
ISBN 9783738658989

Fouad EL-Auwad Hrsg.

فؤاد آل عواد

Zartheit des Feuers

نُعومَةُ النّار

gedichte

قصائد

Die zweisprachige Anthologie " **zartheit des feuers**"
ist 2015 anlässlich
des 10-jährigen Jubiläums
des deutsch-arabischen Lyrik-Salons erschienen
Übersetzt und herausgegeben von Fouad EL-Auwad

Der Herausgeber dankt:

- Kulturbetrieb der Stadt Aachen
- Kulturreferat der Landeshauptstadt München
- Pro Helvetia
- Robert Bosch Stiftung
- Angela und Helmut Six Stiftung

für ihre finanzielle Unterstützung

&
Literaturbüro Euregio Maas-Rhein
für die Kooperation mit dem deutsch-arabischen Lyrik-Salon 2015
und seine organisatorische Unterstützung

&
Christoph Nicolaus (Klang im Turm)
Christoph Leisten
Ahmad Eskandar Suleiman
Razgar Karim
Abdellatif Ali
Abdallah Fhile
Amin Fhile
Bassam Sido
Abdullah Hamouch

für ihr Engagement im deutsch-arabischen Lyrik-Salon 2015

Zartheit des Feuers

نُعومَةَ النّار

gedichte

قصائد

Gedichte von:

Fouad EL-Auwad
José F. A. Oliver
Franco Biondi
Said
Ingrid Fichtner
Anton G. Leitner
Francisca Ricinski
Hedil Al-Rashid
Almas Mustafa
Hartwig Mauritz
Dinçer Güçyeter
Reinhard Kiefer
Christoph Leisten
Ludwig Steinherr
Volker Sielaff
Ahmad Eskander Suleiman

Übersetzt und herausgegeben von **Fouad EL-Auwad**

Verzeichnis

Fouad EL-Auwad Hrsg.

فؤاد آل عواد

Zartheit des Feuers

نعومة النار

gedichte

قصائد

www.lyrik-salon.de

ein hauch von lust
schmeckender duft
der raum ist leer
plötzlich
zieht der regen
klopfend seine spuren
hinein ins reich des glücks
in die sphäre des ichs

stück für stück
scheibe für scheibe
prise salz
schmeckende worte

der kuss verspätet sich,
schwebend
herumirrend
im raum die richtige wange suchend

der andere **herbst**
farben brechen die grenzen
düfte ziehen durchs
innere der reifenden
gewürze
          kräuter
                    früchte
schmeckende gedanken

duft der farben -
minzwasser,   rosen -
wohlklang im raum
vermischen sich
knospen der vergangenheit,
lust auf leben   und mehr...
das meer
nebenan
weide der erinnerung   und mehr ...

فؤاد آل عوّاد

نفحة من شهوة
وعطر لذيذ المذاق
الحجرة فارغة
فجأة
يشّد المطر ركابه حاملاً أثوه
إلى مملكة السعادة
في حوزة الأنا

رويدا رويدا
شريحة بعد شريحة
رشّة ملح
كلمات لذيذة المذاق

القبلة تأخرت
هائمة في فضاء الحجرة
بحثاً عن خدّ مناسب

الخريف الآخر
الألوان تحطم الحدود
عبقٌ يلجُ صيرورة
التوابل اليانعة
الأعشاب
الفاكهة
أفكارٌ لذيذة المذاق

عبق الألوان
ماءُ النعناع وردٌ
صوتٌ رخيمٌ في الحجرة
تمتزج
براعم الماضي،
رغبة بالحياة وأكثر ...
البحر
المجاور - مراعى الذكريات وأكثر ...

Fouad EL-Auwad

10 zeitlose minuten
vor dem anfang
ziehen durch die welt und
ruhen ganz bald.
letztlich war ich der tester - testete
die10 zeitlosen minuten - dann,
wohlbekommen wünschte ich jedem,
der heranwachsen mag

in dieser zeit

tagesgericht
vom feld die sicht - tageslicht
dort, weit am horizont
wasser, wurzeln, baum, knospen,

nepsonk, muab, nlezruw, ressaw,

ein augenblick blickt mit den Augen eines anderen,
beugt sich - vor göttlicher brise - ein endloser schauer
zieht durch den wald. die knospen erzählen
ihrem nachwuchs von vergangenen tropfen.

hin und her geht die
lust an der zeit vorbei.
die schritte kurz und doch zügig,
rasch raschelt ein blatt vom ast,
ein baum legt sich hin und
gönnt sich ruhe,
geschwätz der nachtigall
weckt des baumes wipfel.

höhepunkt in sachen schmecken:
weiß, ein kleiner tropfen blau dazu
und das rot im glas ein klarer ton -
wohlklang der knisternden farben - flutende düfte.

10 دقائق خاوية الوقت
قبل البدء
تجوب العالم
وتأخذ قسطاً من الراحة على عجل
في نهاية المطاف كنت مُمتحناً
اختبرتُ تلك الدقائق العشر ... من بعدها
تمنيت الشفاء
لكل من يرغب أن ينمو

في هذا الوقت

طبق اليوم
المنظر من الحقل في وضح النهار
هناك في الأفق الشاسع
مياه، جذور، شجرات، براعم،

عمارب روذج تارجش هايم

نظرة تحدق من خلال نظرة أخرى
وزخات مطر أبدية تجوب الغابة
تنحني أمام النسيم الإلهي
البراعم تحكي لذرياتها
عن قطرات مضت

ذهاباً وإياباً تمر
الشهوة على الوقت مرور الكرام
الخطوات قصيرة لكنها سريعة
بغتة تخشخش ورقة من غصن
شجرة تستلقي وتمنح نفسها الراحة
ثرثرة البلبل
توقظ قمة الشجرة

ذروة الذوق:
أبيض، قطرة صغيرة من الأزرق
والأحمر في الكأس صوت واضح -
صوت رخيم لطقطقة الألوان - فيضان من العبق

Das Taufbecken vertrocknet
es spendete sein Wasser dem Regen

halleluja
halleluja
singt ein Mönch

Ein Fluss und die Dreifaltigkeit
heilig
seit zweitausendfünfzehn Momenten des Zweifels

Such den Notausgang nicht
Die Knospen des Schweigens rankten an ihm entlang
und umhüllten ihn.

Er verschwand.

Ein Obdach für den Himmel
ein Wald für die Hungernden
Tag für Tag kehren die Toten zu ihrer Vergangenheit zurück.
Ihre Gesichter erwachen nach dem Leben,
am Abend tragen sie das Antlitz des Meeres.

Stille des Schicksals
auf der Hand eines Sterns liegend
trägt Früchte.

Wir
erheben uns aus den Trümmern.

فؤاد آل عوّاد

مانحا ماءه للمطر
يجف **جرن المعمودية**

هالليلويا
هالليلويا
يغني الراهب

نهر وثالوث مقدّس
مقدّسٌ
منذ ألفين وخمس عشرة لحظة من لحظات الشكِّ

لا تبحث عن باب النجاة
لقد زحفت عليه براعم الصمت
وغطته

فاختفى

مأوى للسّماء
غابة للجائعين،
يوماَ بعد يوم يعود الموتى إلى ماضيهم،
تستيقظ وجوههم بعد الحياة
وفي المساء يلبس كل منهم وجه البحر

سكينة القدر
على يد نجمة تتمددُ
تحمل ثماراً

وأجسادنا
تنهض من الخراب

Fouad EL-Auwad

Zartheit des Feuers

Sie begeben sich aufs Meer
Sie trinken das Elend aus längst vergangenen Gläsern
In der Gegenwart reifen die Dornen -
zur Krone der Angst.

Nach dem Sonnenland suchend
begeben sie sich aufs Meer.
Werden sie dort ankommen?
Oder wird sie das Wasser des Todes umhüllen?

Zwischen Splittern und der Zartheit des Feuers
hinterließen sie ihre Namen an den Wänden hängend.

Vielleicht zieht ein Bettler vorbei, der einst das Abendmahl versäumte
und die Apostel erneut zu Helden ernennen wird!

Vielleicht zieht ein Händler vorbei, der die Landschaft des Krieges
aufsucht, und sich zum Fürsten des Krieges krönt!

Sie begeben sich aufs Meer
Das Lächeln ihrer Kinder - Arche der Liebe
Noah kannte sie nicht
auch keinen Hafen sah diese Arche jemals zuvor

Sie begeben sich aufs Meer
Wer verrät ihnen die Geheimnisse des Windes?
Aus welcher Richtung kommt er?
Wird er sie wehend in die Arme der Rosen tragen?

Feiert man in Galiläa noch Hochzeit?
Vermehre den Wein,
das Brot.
Vermehre den Sinn des Lebens.

فؤاد آل عوّاد

نعومة النار

يركبون البحر
يشربون القهر من كأس مضى
في حاضرٍ ينضج به الشوكُ
ليكون تاجاً للرعب

يركبوا البحرَ
يبحثون عن أرض الشمسِ
هل يَصِلون،
أم يغمرهم ماء االموتِ؟

يتركون أسماءً لهم على الجداران
بين الشظايا وبين نعومة النار

ربما يأتي متسولٌ غاب عن العشاء الأخير
ليسميّ تلاميذ المسيح من جديد أبطالاً

ربما يمر بائع يبحث عن إمارةِ الحربِ
كي يتوج نفسه الأمير !

يركبون البحرَ
وابتسامة أطفالهم زوارق الحبِّ
لا نوح يعرفها
ولا شاطئ من قبلِ

يركبون البحرَ يا هذا
من يشي لهم بأسرار الرّياح
من أين تأتي ياترى
هل سيدفع بهم إلى أحضان الوردِ ؟

أما زال عرس الجليل قائماً؟
زد خبزاً،
زد نبيذاً،
زد للحياة معنى ...

Fouad EL-Auwad

Im Meer
sind die Kinder
Fische!

"Lasst sie zu mir kommen",
sagte einst der Herr.

"Lass sie nicht nackt zurück ein Obdach suchend",
sagen die Mütter zum Herrn und ...
"Du liefst auf den Wellen,
barfuß liefst du.

Vermehre den Wein,
das Brot,
begleite sie,
den Tod zu überqueren."

فؤاد آل عوّاد

في البحر
صارت الأطفال
أسماكاً

"دعوهم يأتون إليّ"
قال المسيح ذات يوم

"لا تجعلهم عراة وهم يبحثون عن مأوى"
قالت الأمهات للسيد...
"على الموج مشيتَ
عاري القدمين

زد خبزاً،
زد نبيذاً،
رافقهم
كي يعبروا الموت."

José F. A. Oliver

Dinge, die zurück bleiben

„Dinge. Indem ich das ausspreche (hören Sie?) entsteht eine Stille;
die Stille, die um die Dinge ist.“

Rainer Maria Rilke

die gläsernen gläser
das bücherpapier
1 armleuchter kerzen die vasen
der großmutterholztisch
6 stühle aus plastik
der löffel die gabel das messer
in messing in silber
die standuhr im pendel
servietten & tischgarnituren
die krippe lametta & moos
die gürtel die tücher der schmuck
& samtenes samt
auch leinenes linnen
gerötetes rot
&
schwärzeres schwarz noch
&
wände & fenster & türen
die bettstatt verlassen & stumm
der offene kühlschrank
: erinnert erinnern erinnernd
verdächtig bereites gedächtnis

ich richte mich ein

خوسيه أوليفير

الأشياء التي تبقى

"أشياء أنطق بها ذلك (أتسمعون ؟) تنشأ عنها السّكينة؛
السّكينة التي تدور حول الأشياء."

راينر ماريا ريلكه

الكؤوس الزجاجية
ورق الكتب
مصباح 1 شمعدان مزهرية
وطاولة جدّتي الخشبية
6 كراسي بلاستيكية
الملاعق والشوك والسكاكين
نحاسية وفضية
بندول السّاعة المنتصب
كل أدوات مائدة الطعام & مناديل
الطحلب & المغارة، الزينة المبهرجة
الأحزمة المناديل الحُلي
& مخمل مخملي
كتّان كتّاني
أيضا أحمر محمّر
&
أسود مسوّد
&
أبواب & نوافذ & جدران
صامتة & ترك المخدع
الثلاجة المفتوحة
:تذكّر يتذكّر تذكيراً
مثير للشّك، الذاكرة مُتهيئة
وأنا أستعد

(wie jeder satz), später

am abend: 1 rosenlaut &
welkt sein wund
blatt *auf* die nacht
gräbt stille & schattenmünder
sprechen vor / verleiben. Wir
im vorgestellten, heimwärts
suchten ab die hände
vor dem tag / dornsacht
hauteinander. Wie
die fingerkuppen wie das leise wie
1 zögern wie der rosenlaut (wund
blatt / schattenmund)
aus hand & hand
& wir im nachhinein eins
aus du & d:ich
heimwärts-
w:ort, heimwärtsleiber &
hand, die wort
& wort, die hand
&

(مثل كل جملة)، آخر

المساء: صوت ورود 1 &
يذبل جرحه
ورقة على الليل
يحفر بصمت & أفواه الظل
تتحدث أولاً / نتجسد. نحن
في طريق العودة المعروف
بحثنا عن الأيدي
أمام النهار / إنتباه الشّوك
نسيج جلد. مثل
الأنامل مثل الصوت الخافت مثل
تردد 1 مثل صوت الورود (جرح
ورقة & فم الظل)
من يد & يد
& نحن
فيما بعد
أنت & أن ا ت
طريق العودة-
م:كان
جسد طريق العودة &
اليد الكلمة
& الكلمة، اليد
&

als müsste er seine eignung beweisen

kehrt 1 engel sich selber
den rücken / die auf-
gefalteten hände bei fuß / das kreuz
hängt an einem silbernen
faden / das erdglas der flügel
wunschgerahmt
schimmert die schrift
: im ungelesenen
spiegelt 1 alpha
1 omega sich

كما لو أنه يجب أن يثبت جدارته

ملاك واحد يدير ظهره
لنفسه / واليدين المنطويتين
عند القدمين / الصليب
معلق بخيط
من الفضة / كأس الأرض الأجنحة
حسب الطلب مؤطرة
والخطوط تلمع
: غير مقروء
ألفا تعكس نفسها إلى
أوميغا

dämmerung, 1 katzenpfotenmorgen

: deine brothände 1 auf
gehoben, tischwärts / dein katzengespräch
eine welt voll lieb
zeit & die uhr
die uns vom handgelenk
flog / als du sagtest: „wir
sind die zombies!“ 1 fremd
w:ort & meintest die haut
: 1 altern
das uns eine nacht lang verlor
in der geste des brotes (brotgeste)
im katzensagen
in der uhrvergangenheit 1 aug
bedürfnis / im exil
der augen 1 irgendselbst

غسق، صباح كف القطط

: يديك يد الخبز رفعتي 1
بها، باتجاه الطاولة / حديثك، حديث القطط
عالم مليء بالحب
الوقت & الساعة
التي تطايرت من
معصمنا / عندما قلت: "نحن
الكسالى!" كلمة 1 غريبة & تعني أن الجلد
: 1 يهرم
ضاعت ليلة واحدة
في إيماءة الخبز (إيماءة الخبز)
في قول القطط
في ماضي الساعة عين
الإحتياجات / في منفى
العيون ذاتٌ 1 ما.

José F. A. Oliver

tulpenkronenvergänglichkeit, zum himmel

es sei zu spät sagt die verkäuferin & was mir bleibt
ist 1 zuhause: 1 rotes AUFGEBÄUMT & 7 an der zahl
kein fordern eines lösegeldes
kein scheinverfahren TODESTRIBUNAL
(wechselgarantieverlust des lebens, fonds-
einlagen: atemstöße atemstöße 1 atemlos

& jeden tag die toten wie ge
bete

خوسيه أوليفير

الزنبق يتوج الزوال إلى السماء

ربما تأخر الوقت قالت البائعة & وما تبقى لي
بيت 1   وأناقة حمراء & العدد 7
ليس هناك مطلب لفك الرهينة
وليس هناك محاكمة صورية في محكمة الموت
(تبادل فقدان ضمان الحياة، لصندوق
الودائع   لهاث لهاث و 1 مقطوع النفس

& كل يوم الموتى
كالصلاة

Franco Biondi

Was uns fühlt (an Uschi 2012)

„Ich bin durch das Leben gerannt
und halte gerade augenblicklich an

staunend schaue ich mich um:
ist mein Glas soeben dreiviertel voll
und/oder dreiviertel leer?"

Wir rennen durch das Leben
und wenn wir kurz anhalten
schauen wir uns erstaunt um

wie heute:
fühlt es sich in uns
dreiviertel voll oder ein Viertel leer?

Wenn es sich ein Viertel leer anfühlt –
von was?
fühlt sich die Leere überhaupt?

Bei dreiviertel voll wissen wir
es sind die Schätze
die uns begegnet sind

und die uns weiter fühlen lässt
mit dem was uns noch fehlt.

فرانكو بيوندي

ما يشعرُ بنا

إلى أوشي 2012

أمضيتُ الحياة هروبا
وها أنا للتوّ أتوقف

بذهول أنظر حولي
هل كأسي ثلاثة أرباع المليء
أم أنّه ثلاثة أرباع الفارغ؟

نركض في دروب الحياة
وعندما نقف قليلا
ننظرُ بدهشة حولنا

كما حدث هذا اليوم
هل يبدو فينا
ثلاثة أرباع المليء أم ربع الفارغ؟

وإذا كان يبدو ربع الفارغ
بماذا يشعر الفراغ إذا

وفي حال أنه ثلاثة أرباع المليء
نعرف أنّها الكنوز
الّتي التقت بنا

والّتي ستتركنا باقين، نشعر
بما زال ينقصنا

Franco Biondi

Mit mir auf dem weg

Von anfang an wiederhole ich mich –
es ist nicht beim essen
nicht beim trinken
nicht beim waschen
(das geschieht sowieso) nein:

es ist in der vermeidung meiner selbst –
ja, hartnäckig wie ich nicht sein will
gehe ich mir aus dem weg
und trotz meiner willensbekundung
begegne ich mir ständig.

ich bin zuversichtlich:
irgendwann kommen wir zusammen
und feiern dann unsre zusammenkunft.

فرانكو بيوندي

معاً على الطريق

منذ البداية أُكرّرُ نفسي
ليس على مائدة الطعام
ليس حيبما أشرب
ولا حينما أغتسل
(إنها تحصل لا محالة)
كلاّ:

حين أتجنّب نفسي
نعم، بكل عناد، وهذا ما لا أريد أن أكونه،
أتحاشى طريق ذاتي
ورغم نيتي في أن أبقى هكذا
أتقابل دائماً مع ذاتي

أنا واثق:
بأننا في يوم ما سوف نلتقي
وسوف نحتفل باللقاء

Franco Biondi

das Licht wird dünner
die Luft verschwitzter
der Blick getrübt

& die Haare färben sich Grau
& die vergilbten Blätter fallen nieder
& die Rinde riffelt sich mehr und mehr
& die Ringe vermehren sich im Stamm
& das Geäst lichtet sich
von Jahr zu Jahr

ja beim Anblick meiner Selbst
ist der Herbst unverkennbar
unwiderruflich

& doch an den Ästen wachsen
Seite an Seite die Trauer und die Freude
sie vermehren sich & werden prall
wie ein Khakibaum
im Winter fast ohne Blätter
mit fleischigen Früchten beladen

فرانكو بيوندي

الضّوءُ يُصبحُ واهناً

الهواء أكثر تعرقاً من ذي قبل
والرؤيا شاحبة

& الشّعر الّلون الرّمادي
& الورق المُصفرّ يتساقط
& الّلحاء يزداد تجُّعداً
& حلقات النُموّ السنوية تتكاثر
& تخفُّ كثافة الفروع
سنة بعد سنة

نعم وعند النظر إلى ذاتي
أرى خريفاً
يتعذر عليَ إيقافه

& لكن على الأغصان
تنمو الفرحة مع الحزن
جنباً إلى جنب
تتكاثر وتمتلئ
كما شجرة الكاكي
لا أوراق لها في الشّتاء
محمّلة بالثّمار

Franco Biondi

was bleibt noch zu sagen
auf dieser Ecke der Welt
übersät mit Narben
gebeugt über sich drehende Gefühle?

hinter dem Cellophan schläft ein Traum -
wenn ich ihn entkleide
wenn ich ihn mit Zärtlichkeit bedecke
wird er ohne Gesicht aufwachen
und ohne Arme wird er flüchten

nicht weit weg aber wie bisher
unerreichbar
wird er verrückte Grundzüge beibehalten
glücklich und zermürbt
wie meine

فرانكو بيوندي

ما بقي كي يقال

حول هذا الركن من العالم
المليء بالنّدوب
دورة المشاعر مُنحنية على ذاتها

خلف السيلوفان ينام حلم
إذا خلعت عنه ملابسه
إذا رميت عليه الغطاء بكلّ حنان
سوف يصحو بلا وجه
وسوف يهرب دون ذراعيه

ليس بعيدا
ولكن كما هو معتاد
صعب المنال
سوف يحتفظ بتقاسيم مجنونة
سعيدة ومتعبة
كما تقاسيم وجهي

Franco Biondi

ich finde keinen **Raum**
in dieser verbrauchten Sprache

weder Herkunft
noch Gefühle
garantieren Passierbrücken

entlang der Kluft
der Zeiten und der Plätze:

ich habe mich gesät
auf andere klänge
in meiner anderen Stimme

welch eine **Erleichterung**
sich zu bestätigen:
die Rückkehr ist unmöglich

ohne sich täuschen zu wollen
ohne zu trösten
es existiert nur die Begegnung

فرانكو بيوندي

لا أجد **حجرة**
في هذه اللّغة المُستهلكة

لا منشأ
لا أحاسيس
تضمن جسور العبور

على إمتداد فجوة
الزّمن والسّاحات

نثرتُ بذوري
على نغمات أخرى
في صوتي الآخر

آه ... يا له من **إرتياح**
أن تؤكّد لي
أنّ العودة أصبحت مستحيلة

لكن بعيداً عن خيبة الآمال
عن المواساة
لا بدّ من اللّقاء

Said

Für Bozorg Alavi

In deinem 85. Lebensjahr,
im Jahr 42 der Verbannung,
weigert sich
eine Regierung
deinen Paß zu verlängern.

Wozu brauchst du
Regierungen?

Sie verlängern nur
die Wartezeit.

Und dort, am Einlaß,
fragt der Tod
auch nach einem Paß?

Fisch,
sei still!
Es sind nur Wolken,
die stumm ins Meer tauchen.

Oder gibt es da unten
auch eine Wolke,
die sich die Fremden anschaut
und sie beizeiten auffrißt?

إلى بوزورغ علوي

في السنة الخامسة والثمانين من عمرك
في السنة الثانية والأربعين من منفاك
مازالت السلطة
ترفض
أن تجدد لك جواز السفر

مانفع الحكومات؟

إنها
تطيل وقت الإنتظار

وهناك عند باب الدخول
هل يسألك الموت
عن جواز السفر؟

أيّتها السّمكة

إهدئي
هي مجرد غيوم
هذه التي تغطس صامتة في البحر

أم أن هناك في الأعماق
غيمة ترمق الغرباء
ثم تلتهمهم في الوقت المناسب؟

Said

Früher einmal
kannte das Gras tausend Betsprüche,
die sich nicht widersprachen.

Früher einmal
war das Gras auch dem Fremden gut
und vermählte sich mit jeder Türschwelle.

Früher einmal
wußte das Gras um die Anmut des Wartens
und erkannte die Schritte des Schnitters.

Heuschrecken,
stärker als Worte -
und das Gelächter der Gaffer.

Wer weckte sie -
die Vögel Salomos
und die Besiegten?

Ein Narr auf der Flucht
fragt nach verläßlichen Eulen.

منذ زمن بعيد
كان العشب يعرف آلافا من بسملات الصلوات
التي لا تناقض بعضها بعضا

في الماضي
كان العشب يرأف بالغريب
ويُزوّج نفسه لكل عتبة باب

في الماضي
كان العشب يدرك نعمة الإنتظار
ويعرف وقع الخطوة

جراد
أقوى من الكلام
وضحكات الفضوليين

من يوقظ
طيور سليمان
والمنتصرين؟

أحمق هارب
يسأل عن بومة يثق

Mein exterritoriales Hemd
erliegt nur noch
deinem Flitter -
an diesem plebejischen Tag,
im Sud deiner Abgründe.

Für Farhad Semnar

Zuweilen
kriechen Dinosaurier
aus ihren Zeitlöchern heraus.
Im Kreis der Artgenossen
beschwören sie
ihren Niedergang.
Dann sucht -
jeder für sich -
eine leicht verdauliche Nahrung
für sein blindes hirn.

قميصي الخارجي

مازال يضعف فقط أمام
مجوهراتك الزّائفة
في هذا يوم العاميّ الشّائع
في زبد هاويتكِ

إلى فرهاد سمنار

أحيانا

تخرج الديناصورات زاحفة
من ثقوب الزمن
بين أجناسها
تلملم إنقراضها
ليبدأ كلٌ منها
في البحث
عن غذاء سهل الهضم
من أجل أدمغتها العمياء

Als wären die Liebenden
nicht bewaffnet
mit ihren Lichtungen
die dünnen Augenlider
des Todes.

Dem Sieger nur
ein Gerippe,
dem Gedicht
die Verwundeten;
der zögernde Mund
zwischen Kain und Abel.

وكأن العشّاق
ليسوا مُسلّحين
بالفراغات بين الأشجار
أجفان الموت الرقيقة

للفائز فقط
هيكل عظمي
للقصيدة
الجرحى
الفم الحائر
بين قابيل وهابيل

Der blinde Morgen der Liebenden;
noch trinken sie
aus allen Mündungen der Nacht.
Das sterbliche Tier
zwischen uns
und den Bettüchern,
die ahnungslose Botin
Deiner Augen.

Nasse Pilger
mit Spiegeln im Haar,
das Schluchzen der Ruten,
die beschworenen Ufer;
voller Licht und stumm.
Das betäubte Haus,
ein Gemurmel nur.

صباح العشاق الأعمى

مازالوا يشربون
من كلّ مصبّات الليل
الحيوان الفاني بيننا
وبين ملاءات السرير
رسولة لعينيك
لا تعرف شيئا

حاج مُبلّل

مع المرايا في الشعر
وتنهّدات العصا
والضفاف المُمتضرّعة
المليئة بالضوء، ولكنّها خرساء
وهذا البيت الهامد
مُجرّد دمدمة

Ingrid Fichtner

Zuerst

im Thymian dann
im Lavendel als wär' er
Biene der Kohlweißling

Zwischen Dämmerung und Nacht

ein kurzer Lufthauch nur
die Fledermaus zieht ihre Spur
ich zähle Glühwürmchen

في البدء

بين الزعتر، ومن ثمّ
بين زهر الخزامى
كما لو أنّه
نحلة

بين الغسق والليل

نفحة هواء قصيرة
وحده الخفّاش يشقّ مساره
وأنا أحصي
اليرعات

Ingrid Fichtner

Der Himmel

Deckweiß bis sich
plötzlich Riss um
Riss einstellt und
die Wolken hetzen

Nach dem Regen

Sonne Wind und wieder Nacht
ein Flüstern nah am Nichts
die Spur eines Fingers als
glücklichmachende Vernunft
Kleines gibt es ...
Pünktliches ... Verlässliches ...
die Mondsichel

انغريد فيشتنر

السّماء

بيضاء، وبغتة
تشقّق الصّفاء
وبدأ الغيم
يتدفق

بعد المطر

شمس، ريح، واللّيل من جديد
همس بالقرب العدم
أثر إصبع، حكمة تنشر الغبطة
صغير هو
منضبط .. موثوق
هذا الهلال

[Nach einem Juniregen]

Ein Tropfen hängt noch
schwer am schwarzen Geländer
und dann doch nicht mehr

Juni

und es regnet. Wie so oft.
Wie gedämpft klingt dann
das Gurren meiner Ringel-
taube. Ich sehe sie nicht
(das Blattwerk meiner Birke
ist jetzt viel zu dicht). Ich
höre meine Ringeltaube
da im Regen und denke
mich in all dem Grün
zurück zum trockenen
roten Sandsteinboden
und zum Heckenkuckuck

انغريد فيشتنر

بعد مطر حزيراني

ما زالت عالقة
في الأفق القاتم
القطرة، التي
سرعان ما
ستختفي

حزيران

ماطراً ، كعادته
غالبا ما يكون ماطرا
خافتا هديل حمامتي .. لا أراها
(كثيفة جدا هي أوراق شجرتي
شجرة البتولا)
أسمع هديل حمامتي في المطر،
وأعود بذاكرتي، رغم كل هذا الإخضرار
إلى تربة الحجر الرّملي، التربة الحمراء الجّافة
وإلى الوقواق في العرائش

Ingrid Fichtner

[Juli]

Welch erquickende
Nacht! Mich hat wirklich keine
Stechmücke geweckt!

Als ganz vernünftige Sache

wie eine fröhliche und freie Liebe etwa
oder die Möglichkeit zu einem Menschen
zu sprechen und wirklich gehört zu werden
oder den Lorbeer selber an die Türschwelle
zu legen gegen Ameisen gegen Eidechsen
... als ganz vernünftige Sache also wie
das Nachtquartier im Schilf im Bambusbusch
das feine Piepsen dann im feuchten Sand
dann dann und wann ein Flügelrauschen

انغريد فيشتنر

تمّوز

إنّها ليلة منعشة
لم يوقظني البعوض

كما لو أنّه أمر معقول جدا

كما الحبّ الجذل .. الحبّ الحر
كما لو أنّها إمكانية التحدث إلى شخص ما
وأن يستمع إليك أحد ما حقا
أو أن تضع الغار على حافّة الباب
منعا للنمل والحرباء
كما لو أنّه أمر معقول جدا
مثل الإنحدار الليلي في القصب
في دغلة القصب الصّغير النّاعم
ومن ثمّ في الرّمل الرّطب
ومن ثمّ
ومن ثمّ
وحيث حفيف الأجنحة

Ingrid Fichtner

So Zeichen

Der grosse rote Kran
die leere gelbe Palette über meinem Kopf
die breiten dran baumelnden blauen Gurten
das Sägen das Bohren das Hämmern
die riesige Baustelle ...

Soll ich sie schön finden?
Warum nicht. Es ist Sommer.

Aus einer leeren Nische in der Wand

(und warum denke ich: wie aus dem Nichts?)
schält sich ein Stückchen Hellblau formt sich
zu einem kleinen Block; darauf legt sich ein
kleiner Block von Grün darauf ein Gelb darauf
ein Rot; und unters helle Blau schiebt sich
ein dunkles dann; darunter noch ein Violett.
Der Quader passt genau in meine Hand.

انغريد فيشتنر

إشارة

الرّافعة الحمراء الكبيرة
اللوح الأصفر فوق رأسي
والأحزمة الزرقاء العريضة المتدلية
زعيق منشار ، وحفر، وأصوات مطارق
ورشة بناء كبيرة
أيتوجب علي إيجادها
ما الذي يمنعني؟
فنحن في الصيف

من كوّة فارغة في الجدار

ما الذي يجعلني أراه كما لو أنّه العدم
قطعة زرقاء ذات لون فاتح تقشر نفسها
تُحوّل نفسها إلى قزم، يستلقي عليه قزم آخر
قزم أخضر صغير ، وآخر أصفر، وآخر أحمر
ومن تحت الأزرق القاني، يندّس أزرق داكن اللون
ومن تحته البنفسجي
المكعّب يتوازن تماما على راحة يدي

Anton G. Leitner

Isarsommer

Müdigkeit
zwischen den
Beinen ist ein
Himbeereis
vom Italiener
um die Ecke.

»Ois is easy«,
steht in der
Zeitung, aber
wer weiß schon
von Sandalen,
denen der
Schweiß anhaftet
von einem noch so
schönen Fuß.

Die Sonne
bräunt den
ausgespuckten
Kaugummi
nach einem
Vollbad in Öl.

Wer will schon
schlafen um diese
Zeit, wenn es gilt,
den Körper zu
opfern am Grill
für die Blicke.

أنطون لايتنر

صيف نهر الإيزر

تعبٌ
بين
السّاقين
بوظة التّوت
من محلّ
إيطالي قريب

"كلّ شيء سهل"
هذا
ما هو مطبوعٌ في الجريدة
ولكن من يدري
ما هو الصندل
الملتصقة به
قطرات عرق قدم مازالت جميلة

الشّمس
تحرق المسك
المبصوق
بعد حمّام
زيتي

من يريد
أن ينام في هذا الوقت
إذا كانت الأعراف،
ان تُضحّي بالجسد
على مائدة الشّواء
من أجل النظرات

Anton G. Leitner

Zwei

Wachsen auf
Zehenspitzen

Zusammen

Nippen am
Himmel.

Eine Kerze für J.

Meine Gebete
Flackern.

Herr, lass sie
Schmelzen.

أنطون لايتنر

إثنان

ينموان
على أصابع عشرة

مع بعضهم البعض

يرتشفون
السّماء

شمعة من أجل ج

صلواتي تنبض
أيّها الرّب

دعها
تذوب

Anton G. Leitner

My Fair Lady

Spät öffnet sich
Das Licht.

Die Sonne steigt aus
Dem Wagen.

Sie fährt ein
Käfer-Cabrio.

»You are the sunshine
Of my life!«
Macht sie mich an.

»Handkuß?«
Frage ich und brenne
Wenig später.

Umschwung

Der Himmel
bricht auf
zu anderen
Farben.

أنطون لايتنر

سيّدتي العادلة

متأخراً
يُشع الضّوء

الشمس
تترجل من العربة

وتقود
خنفساء - مركشوفة

"أنت إشراق الشمس
في حياتي"
تتحرّش بي

"قبلة يد"
أسأل وأحترق
فيما بعد

تحوّلات

السّماء
تشقّ دربها
إلى
ألوان أخرى

Still Lieben

Keine Farben mehr
Zur Hand

Ich will Dich
Farblos

Pinseln
Auf den Bauch

Mit Dir allein
Die Beine breit

Schlagen wir uns
In die Büsche und

Diskutieren später
Ein modernes

Sittengemälde.

أنطون لايتنر

حب صامت

لا يوجد للتو بين يديّ
ألوان

أريدكِ
بلا ألوان

فرشاة
على البطن

وحيد معكِ
والساقان مفتوحتان

نتضارب بالبطون
ونتناقش لاحقاً

حول لوحة
عن الأخلاق

Anton G. Leitner

Das Meer sieht

Das Land mit anderen
Augen. (Der Blick geht

Vom Blau ins Gelb ins
Grün.) Ein bewegtes

Kissen für eine ruhige
Nacht im Schoß.

Schnee, Mann

Das Erleben von heute
Ist die Erinnerung

Von morgen. Morgen
Fällt Schnee. Über

Morgen schmilzt
Er. In ihren

Armen.

البحر ينظر

إلى اليابسة بعين أخرى
(النظرات تنتقل

من الأزرق
إلى الأصفر إلى الأخضر)

مخدّة مؤثرة من أجل
ليلة هادئة في الأحضان

ثلجٌ، رجلٌ

مانعيشه اليوم
هي ذكريات

في الغد وفي الغد
تساقط الثلج

بعد الغد
يذوب
بين
ذراعيها

Francisca Ricinski

aus den Fugen

bin schon lange nicht mehr eine Ellipse noch nicht mal
ein Zelt auf vier Schildkrötenrücken ein intaktes Etwas
diese zwei Beine richten mich auf nur im Sommer
um an meinen Holunderkopf zu gelangen
dort die Beeren zu pflücken
das Herz ist nicht mehr links
dieses stolpernde Ticken kommt von den Hosentaschen
hör auch diese Zungenbombe und alle aus dem Walzertakt
gerissenen der/die/das Organe Glasdarm und Meerlunge
und Plattfußherz das Sonnenfinsternisauge
mein Fischmund beißt Eisbären die Hautengel brennen

Dichterfleisch wird vom Schlachthof zum Schlachthof spaziert
nur der irdische Lustmuskel hat nichts und weiß nichts von
den anderen er lacht und windet sich füllt sich mit Luft
was weiß er schon von der Apokalypse

فرانسيسكا ريسينسكي

خارج عن المألوف

لم أعد منذ فترة طويلة، بيضوية الشّكل
لم أعد حتى خيمة على ظهور أربع سلاحف، وهذا شيء سليم
هاتان الساقان تحملانني بكل قوامهما في الصيف فقط
كي أصبو إلى رأسي التوتي، حيث أقطف حبّات التوت
لم يعد القلب في الجهة اليسرى، وهذا النبض المتقطع الوتيرة
يأتي من جيب البنطال
هل تسمعون اللسان، هذه المضخة، وكل ما أوتي إيقاع الفالس من
أعضاء مذكرة ومؤنثة. أمعاء زجاجية، رئى بحرية،
قلب مسطح، عين انكسار في الشّمس
وفمي، فم السمكة، يفترس الدببة القطبية، التي تحرق جلد الملائكة

لحم الشعراء يتنقّل متنزها من مسلخ إلى مسلخ
فقط عضلة الرغبة ليس لديها أي شيء ولا تعرف
أي شيء عن الاخرين
تضحك، تدور حول نفسها، وتملأ ذاتها بالهواء
ما الذي تعرفه هذه العضلة عن نهاية العالم

Francisca Ricinski

Lebenslauf

Die Eltern, die auf Godot warteten, haben mich auf einem Schlitten vergessen. Bei Régine im Sektkeller hat mich vergessen der Mann, der Engel zu mir sagte. Die Soldaten haben mich in einem durchlöcherten Schuhkarton, neben einer Chrysantheme aus Stoff und Marlene Dietrichs Foto, vergessen. Sogar Franz von Assisi, mein Namenspatron, vergaß mich in der neunten Strophe seines Sonnengesangs.

Das Schwarze Meer hat mich in Sand gepinkelt. Seine Art zu vergessen. Währenddessen hat sich eine ihrer Möwen in mir verirrt. Wenn die schlaftrunkenen Schiffe beginnen zu wandeln, schreit sie: „Wo wollte ich hin?“

فرانسيسكا ريسينسكي

السّيرة الذاتية

الآباء والأمهات الذين ينتظرون غودو نسوني على نقالة خشب
في القبو ، في مخزن الشامبانيا عند ريجينا،
نساني الرجل الذي قال لي أيّها الملاك وبجانب ورود الزينة وصورة
لمارلين ديتريش نسيني الجنود في صندوق الأحذية المثقّب
حتّى أن فرنسيس فون أسيزي، الذي أحمل اسمه، كان قد نسيني
في المقطع التاسع من أغنيته، أغنية الشمس.

البحر الأسود تبوّلني في الرّمل ، هذه هي طريقتي في النسيان
خلال ذلك تاه احد نوارسه في داخلي. وما أن تبدا السفن التي مازالت
في سكرة النوم بالتحرك حتى يصيح النورس
"إلى أين أريد أن أطير؟"

Francisca Ricinski

Stufen

Als ich zehn war nahm jeden Abend eine andere Heldin in mir Gestalt
ich trug Kronen kämpfte mit dem Schwert wurde verehrt wie eine Heilige
wie eine Henne enthauptet

Mit zwanzig hatte ich das historische Zeug satt schloss mich in einen Turm und schrieb Horoskope suchte wie ein manischer Archäologe nach Gott
verkaufte den Kastraten die Liebespsalmen von Salomon

Irgendwann spürte ich unter der Brust das Beben von Golgotha
tagelang schaute ich mir das Mal an mit Judasaugen in meinem schwachen Ohr schrie von Zeit zu Zeit Sodom und Babel stürzte immer wieder ein
manchmal verlor ich mich ganz und fand ich mich wieder im Sturm auf der Arche Noahs unter dem Vieh

Am Rheinufer, eingedrungen in die enge Lunge der Stadt, ich, die verlorene Tochter eines Propheten

Heut bin ich froh wenn Leute mich mit der Pferdewirtin oder der Marktfrau verwechseln wenn einer mich darauf aufmerksam macht dass es wieder regnet und meine Nägel wieder gewachsen sind

فرانسيسكا ريسينسكي

مراحل

عندما كنت في العاشرة من عمري، انتحلت كل مساء شخصية بطلة ما. حملت على رأسي التيجان، وقاتلت بالسيف، كانوا يبجّلونني مثل قدّيسة
ومثل دجاجة قطعوا رأسي

في العشرين من عمري سئمت هذه الشخصيات التاريخية
أقفلت أبواب برج، ومكثت أكتب الأبراج، وبحثت بهوس عالم آثار عن إله
وبعت للمخصيين مزامير الحبّ التي لسليمان الحكيم

في وقت لاحق شعرت باهتزاز جبل الجلجلة في صدري
لأيام عديدة كنت انظر إليها بعيني يهوذا وفي أذني الواهنة كانت سدوم تصرخ من وقت لآخر وبابل تتهدم مرة أخرى.
في بعض الأحيان كنت أتوه ومن ثمّ أجد نفسي في العاصفة
على متن سفينة نوح بين البهائم

على ضفاف نهر الراين، توغلت أنا إبنة النبي الضائعة
في رئة المدينة الضيّقة

اليوم ، يسعدني أن يخلط النّاس بيني وبين مربيّة الخيول
أو بيني وبين بائعة في السوق ويسعدني أنّ أحدا ما لفت إنتباهي إلى المطر، بينما تنمو أظافري من جديد

Francisca Ricinski

Kastanien vor meinen Füßen

Gestern fielen die ersten Kastanien dieses Herbstes vor meine Füße, es waren elf, elf Wochen auch bis November, die Nebel wären willkommene Gäste an meinem Geburtstag. Ich müsste ihnen den Weg nicht erklären, keinen Mantel ausziehen und dauernd zulächeln, sondern nur auf der Schaukel hin und her schwingen und warten.
Umgeben von ihnen könnte ich endlich unsichtbar werden, mich, alt werdendes Kind, feiern, als hätten mir die Nebel ihr Geheimnis verraten und als täte mir nichts weh.

Heute Nacht fielen wieder Kastanien vor meine Füße, aber diesmal hab ich sie nicht mehr gezählt. Eine von gestern lag schon zertreten, die anderen rückten schleunig zusammen und rollten an der Schaukel vorbei, zum fernsten Drahtzaun. Weiter will ich nicht mehr denken, neue Bilder zulassen, fragen, wer diese Kastaniengeschichte zu Ende erzählt. Ahnungslos werden die elf Wochen sein und die Nebel, ja, Nebelschleier zwischen hier und dort.

فرانسيسكا ريسينسكي

الكستناء أمام قدمي

يوم أمس سقطت حبات كستناء هذا الخريف أمام قدمي،
وكانت إحدى عشرة حبة، ومازال من الوقت أحد عشر أسبوعا إلى ان
ياتي نوفمبر، ضيوف مرّحب بهم في عيد ميلادي، لم أكن مُضطرة أن
أرشدهم إلى الطريق إليّ، وان أخلع المعطف، وان أبتسم باستمرار،
ولكن فقط أن أجلس على الأرجوحة أتمايل وأنتظر
بينما الضبابات تحيطني حتى كدت أن أكون أخيرا غير مرئية، وأن أحتفل
بنفسي، أنا الطفلة التي كبرت، وكأن الضبابات أودعتني أسرارها ولم
يؤلمني هذا

في هذه الليلة سقطت حبّات الكستناء مرة أخرى أمام قدمي، ولكنني
لم أحص عددها هذه المرّة، حبة من حبّات الأمس مازالت مركولة
وتجمعت الأخريات بسرعة ثم تدحرجت من أمام الأرجوحة إلى السّياج
البعيد. لا أريد أن أفكّر أبعد من هذا، ولا أرى صورا جديدة، ولا أريد أن
أسأل من روى حكايات الكستناء إلى النهاية، دون دراية ستكون
الأسابيع الأحد عشر والضبابات، أجل، حجابا ضبابيا
بين الهنا والهناك

Francisca Ricinski

Eilbrief

Ist es wahr, dass ich nichts ändern kann, solange ich
nicht begreife, was mir geschieht?
Denn in der letzten Zeit rette ich noch nicht mal die
Wespen aus meinem Colaglas vorm Ertrinken, kann
weder die Lilien & Fahnen am Altar noch die Orkane
mit menschlichen Namen ertragen, und gar nicht die
Globalisierung von Traurigkeit.
Gestern hängte ich neben der Engelsposaune das
Plakat von Moulin Rouge auf ...
Wer weiß, vielleicht wäre auch ich berühmt geworden
wie La Goulue, wären meine Rockrüschen bis zur
Decke geflattert ...

Nur eine Taste und zwei Knöpfe

Gleich geh ich die Treppe hinunter. Auf dem Rücken trag ich das Radio, das du vor vielen Jahren gekauft hast. Der Kasten hat nur noch eine Taste und zwei Knöpfe, er singt und spricht nicht mehr, aber sein honiggelbes Holz glänzt fast wie früher. Ich will es mit einem Stöckchen leicht schlagen, vielleicht springen dann ein paar Töne heraus.
Mit allen Körpern, die alt werden, sei es nicht anders, der Wind wühlt sie wie Schornsteine durch und klaut ihnen Worte, Laut für Laut, bis sie verstummen.
Das hast du oft gesagt, immer öfter ...

رسالة عاجلة

هل هي حقيقة، أنني لا أستطيع تغيير أي شيء،
طالما لا ادرك ما يحدث لي !..
في الفترة الأخيرة لم أنقذ حتى الدبّور الذي غرق في كأس الكولا
لا أستطيع أن أحتمل الزنابق والأعلام على المذبح،
ولا الأعاصير التي تحمل أسماء البشر
ولا أحتمل العولمة الحزينة
في الأمس علقت بجانب الملاك، الذي يحمل بوقا، ملصقا يحمل صورة الطاحونة الحمراء ...
من يعرف، ربّما أصبحت أنا أيضا مشهورة
مثل الفنّانة الاستعراضية لا جوليه، لو أن تنّورتي المكشكشة
ارتفعت ترفرف في الأعالي

فقط مفتاح واحد وزرّان

بعد قليل سوف أنزل الدرج حاملا على ظهري جهاز المذياع الذي اشتريته أنت منذ أعوام كثيرة، صندوق المذياع هذا لم يعد يحمل غير مفتاح واحد وزرّين. لم يعد يُغنّي ولا يتكلم ولكن لون خشبه العسلي المائل إلى الإصفرار مازال يلمع كما من قبل. أريد أن أضرب بعصا صغيرة، ربّما ينطق بنبرة ما، ربّما تصدر عنه بعض الأصوات
حاله كحال كلّ الأجسام التي تهرم، تهزّها الريح كما تهزّ المداخن
وتسرق منها الكلام، حرفا بعد حرف حتى تصبح خرساء
هذا ما قلته أنت مرارا

Hedil Al-Rashid

Denkst du an meine Liebe?

Ich wünschte ich wäre der erste
Regentropfen
Um auf deine Wange zu fallen
Um sie zu liebkosen,
Um dich zu erfrischen
Um mich zu berauschen
Um zu verdunsten

Ich wünschte ich wäre ein Zuckerwürfel
Um mich in deiner Teetasse zerfließen lassen
Um von dir getrunken zu werden
Um in deinem Dasein zu ertrinken
Um dich zergehen lassen wie ein Zuckerwürfel

Ich wünschte ich wäre eine duftende Rose
Um mich von dir pflücken zu lassen
Um meinen Duft von dir einatmen zu lassen
Um deine Brust zu füllen
Um mich in dein Herz zu schleichen
Um darin zu verweilen

Ich wünschte ich wäre ein Liebesgedicht
Um mich von dir lesen zu lassen
Um deine Gedanken zu beschäftigen
Um meine Worte nicht zu vergessen
Um mich in deinem Gedächtnis zu verewigen
Um an meine Liebe zu denken

أتفكّر في حبّي؟

وددتُ لو كنتُ أولَ قطرة مطر
لأسقط على وجنتك
فأقبّلها
لتنتعش أنتَ
فأنتشي أنا واتبخر
وددتُ لو كنتُ حبّةَ سكّر
لتذوّبني في فنجانك
لتشربني
لأغرق في كيانك
وتذوب أنت كحبة سكّر
وددت لو كنت وردةً فوّاحة
لتقطفني
لتستنشق عطري
فأملأ صدرك
وأتسلل إلى قلبك
و به استقر
وددت لو كنت قصيدة حب
لتقرأني
لأشغل بالك
فلا تنسى كلماتي أبداً
لأخّلدسحري في ذاكرتك
لتتذكر حبي وبه تفكّر

Hedil Al-Rashid

Wahnsinn

Weis mir den Weg
Zu den Oasen der Vernunft
Um mich wieder zu finden
Denn seitdem ich deine Augen sah
Verließ mich mein Verstand
Und im Labyrinth des Wahnsinns
Verlor ich mich, wurde zu einem Tropfen Elend

Blauer Himmel

Siehst du den Horizont?
Dort drüben in der Ferne?
Blauer Himmel
Umarmt die Erde
Kalt ist der Wind
Kalt meine Hand
Warm die Erde
Warm ist deine Haut
Ich spüre bereits ihre Wärme
Verspürst du den kalten Wind?

جنون الحب

دُلّني الدرب
اهتدي الى واحات الصواب
لأجد نفسي
فأنا مذ رأيت عينيك
غاب عقلي
وفي متاهات الجنون
تهتُ وأمسيتُ نقطة شقاء

سماء زرقاء

أترى الأفق ؟
بعيداً هاهناك؟
سماء زرقاء
تعانق الأرض
باردة هي الريح
باردة كيديّ
دافئة هي الأرض
دفء بشرتك
لطالما شعرتُ بدفئها
أتشعر أنت ببرد الريح؟

Hedil Al-Rashid

Gestern

Bist du gegangen
Du hinterließt
Deinen Duft
An meinem Kleid
Ich trage es jetzt
Um deine Seele
Um mich zu spüren
Um deinen Atem
In mir zu lauschen
Ich fühle es
Mit all meinen Sinnen
Es ist einzigartig

Sternennacht

Die Nacht
Ist erwacht..
Ein Gewand
Mit funkelnden Steinen
Aus weichem Samt
Genau wie du
Wenn du lachst
Und das Leuchten
In deinen Augen
In mir schöne Dinge
erweckt
Wie eine Sternennacht

بالأمس

رحلت
بالأمس خلّفتَ عطرك
على نقش الفستان
أرتديه الآن
لأشعر من حولي
بوجودك
لأُنصِتَ في خَلَدي
إلى أنفاسك
أستشعره بكلّ حواسّي
أدرك
أنّ لامثيل له

ليلة ساطعة النجوم

أفاق الليل
بحلّةٍ ناعمة كالمخمل
مُرَصَّعه
بأحجارٍ متلألئه
مثلك تماما
عندما تتبسّم
ويحيي ذاك البريق
في عينيك
أشياء جميلة
في داخلي
كليلةٍ ساطعة النجوم

Hedil Al-Rashid

Afrika

Verstaubte Gesichter
Von der Linie der Zeit verwischt
Verwirrte Augen
Glanzlos
Müde vor Furcht
Müde von der Suche nach Antwort
Stille Psalmen
Nur von den Ohren des Windes gehört
Nützen die Gebete etwas?
Sichtbare Wunden
Tiefe Wunden
Wen interessiert es?
Barfuß
Lange Strecken zurückgelegt
Nach Obdach
Nach Nahrung suchend
Oder etwa vor dem Tod flüchtend?
Stumme Schreie
Gibt es einen Erhörer?
Weder Träume
Noch Optionen
Entweder das Ungewisse
Oder das Ungewisse
Gibt es eine Wahl?

أفريقيا

وجوهٌ مغبَرّة
عفا عليها الزمان
عيون حائرة
بلا بريق
تعبة من الخوف
تعبة من البحث عن أجابات
تراتيل صامتة
لاتسمعها إلا آذان الريح
وهل يجدي الدعاء؟
جروح ظاهرة
وأخرى غائرة
ومن يعنيه؟
حفاة الأقدام
قاطعين المسافات
بحثاً عن مأوى
بحثاً عن الزاد
ربما هرباً من الموت؟
صرخات صامته
فهل من مستجيب؟
لا أحلام لا احتمالات
أما المجهول أو المجهول
فهل من خيار؟

Almas Mustafa

Art unserer Liebe

In der Zeit, in der die Blumen in der Natur wachsen,
die Lichter den Kuss der Liebe entzünden,
in dieser Zeit wächst eine Rose auf meinen Brüsten.
In der Zeit, in der Winde die Kirschblüte verstreuen,
eine Frau wilde Träume trägt
und die Liebe blühen lässt,
in dieser Zeit zieht eine geographische Wolke herbei
und die Natur wird nass.

ألماس مصطفى

طبيعة حُبّنا

في الوقت الذي تنمو فيه الأزهار في الطبيعة
في الوقت الذي تُشعل فيه الأضواء قبلة الحب
وقت زهرة تنمو في صميم صدري

في الوقت الذي تُبعثر فيه الرّياح أزهار الكرز
في هذا الوقت تحمل إمرأةٌ أحلاما برّية وتمارسُ الحب

في هذا الوقت تعبر غيمةٌ جغرافيةٌ
على الجميع
والطبيعة تصيرُ رطبة

Almas Mustafa

Der Kuss - eine Nacht

Als du mich küsstest,
war die Nacht mit Leichtigkeit gefüllt.
Der erste Kuss
in den ersten Glücksmomenten,
bei der ersten Verabredung,
mit Vertrautheit gefüllt.

Der erste berauschte Moment war eine Umarmung.
Der Fluss überflutete - Regentropfen

Die Rosen träumten
von Schönheit
und es geschah ...

Im Tau blühen die träumenden Rosen
und wir, wir blühten flüsternd.

Über den Fluss
werfen die Rosen Knospen und Schatten.
Wir sind vereint,
keiner trennt uns außer einer Brise,
die sich überall ausbreitet.

ألماس مصطفى

القبلة ليل

حين قبّلتني
كان الليل رشيقا تملأُه الخفّة.

أول قبلة
أوّل لحظات سعادتنا
في اول لقاء تشحنه الإلفة.

أول لحظات النّشوة كانت ضمّة
وكان النّهر مليئا بالمطر الهاطل
فيّاضا

هنالك أفواج الزّهر المخملي
تحلمُ
بالجمال
فتمّ

بالنّدى يبتلّ الزهر الحالم
وكنّا نبتلّ بهمس ناعم

بنثر الزّهر هناك فوق النّهر
ظلالا وبراعما
نتّحد
فلم يفصل بيننا غير نسيم
هبّ وعمّ

Almas Mustafa

Klang der Wanduhr stört mich andauernd

Die Glocken läuten,
sie sind im Wettbewerb mit der Zeit um den Tod.
Später zögert die Wäscheleine nicht, die Zeit zu zählen.

Jene Sekunden,
die aus den Geschichten meines Lebens herausspringen,
spielen Verstecken mit meiner Jugend.
Diese Sekunden stören mich.

Diejenigen, die auf dem Weg zu sich selbst sind,
von den Schatten der Zeit begleitet,
diejenigen suchen nicht den Rückweg
zu den letzen Momenten meines Lebens.

ألماس مصطفى

صوت السّاعة هذا الذي يُزعجني

ترنُّ الأجراس، وصوتُها يتنافس مع الوقت على الموت
في وقت لاحق
لا يتردّدُ حبلُ الغسيل بإحصاء الوقت

تلك الثّواني التي تقفز من قصص الحياة
تلعب مع شبابي الغمّيضة
هذه الثّواني تُزعجني

أولئك الّذين في طريقهم إلى ذاتهم
مع ظلال الوقت
لا يبحثون عن طريق العودة
إلى اللّحظات الأخيرة من حياتي

Almas Mustafa

Die Sterne der Frau

All diese Sterne erlöschen am Himmel der Frau.
Kannst du mir sagen, wie das Gesicht des Mondes
ohne Sterne aussehen würde?

Aus Sorge um die Natur verliert die Sonne ihre Kraft, aufzugehen.
Die Erde und die anderen Planeten kreisen nicht mehr.
Die Flüsse verlaufen sich.
Die Jahreszeiten tauschen nicht mehr Liebesbriefe mit der Natur aus.

Habt ihr keine Furcht,
wenn all diese Weiblichkeit der Sterne gelöscht wird?
Habt ihr keine Furcht,
wenn die Sonne der Natur den Rücken dreht und abreist,
wenn sie eine andere Form annimmt und zurückkehrt?
Habt ihr keine Furcht,
wenn die Natur ihr Gleichgewicht verliert
und sich eurer nicht erbarmt?
Habt ihr keine Furcht?

Werdet ihr die Weiblichkeit der Sterne, die gelöscht wurden,
nicht vermissen?
Wer soll denn die Liebesbriefe zu den Liebenden tragen?

Die bittere Realität nahm die Weiblichkeit der Sterne in Gewahrsam.
Wer öffnete ihr die Tore
mit dem Schlüssel der Glückseligkeit?

ألماس مصطفى

نجوم المرأة

كلّ هذه النجوم تنطفئُ في سماء المراة
ألا تقوُل لي، كيف سيكون وجه القمر في سماء بلا نجوم؟

الشّمس تفقد قوّتها على الشّروق
حينما تنظر قلقة إلى الطّبيعة
الأرض والكواكب تجمّدت، لاتدور
الأنهار تائهة في مجاريها
والفصول لم تعد تتبادل رسائل الحبّ مع الطّبيعة

حين تُمحى كلُّ هذه الأنوثة
أنوثة النجوم
ألا تخافون؟
حين تدير الشّمس ظهرها للطبيعة وترحل
ألا تخافون؟
إن عادت على شكل آخر غير شكلها المألوف
ألا تخافون؟
إذا انفلتت الطبيعة عليكم
ولم تعد ترحم بكم
ألا تخافون؟

ألا تتحسرون على أنوثة النّجوم
التي انطفأت
من سيُوصل رسائل الحبّ بين العاشقين

أنوثة النّجوم
أسيرة الحقيقة المُرّة
من سيفتح لها الأبواب بمفتاح السّعادة
بعد هذا اليوم

Hartwig Mauritz

wälder kommen auf uns zu

X

von den dörfern reißt sich der wind fort die haare
der hunde in jüngeren jahren vom hunger getragen

auf den feldern gräser und garben. jeder windstoß
die ruhe zwischen zwei stürmen wirft regengüsse, pfützen

unter den schritten die entfernung von wasser und erde
die herde wächst über gräbern wolkenbestand von westen

rasender wind scheucht krähen von toten weiden
auf denen bauern jahreszeiten verteilen durchs dickicht

treiben sie schweine, jungtriebe, eicheln die waldweide
nun brache durch schafe geweitete heide jeder preußenbaum

fehlbestand in den augen der bauern im seitental
schwindet die landschaft in diesen wäldern keine gespenster.

هارتفيغ ماوريتس

غاباتٌ تتقدم بإتّجاهنا

X

من داخل القرى تعبث الرّيح بخصلات
كلاب في سنّ الصّغر يسوقها الجوع

فوق الحقول حشائش وخنادق، كلّ هبّة ريح
قيلولة بين عاصفتين تُسقط زخّات مطر، بُقع ماء

تحت الخطوات تختبئ المسافة بين الأرض والماء
القطيع ينمو فوق القبور، غيوم قادمة من الغرب

ريحٌ عاتيةٌ تُشتّت غربانا من على مراع ميتة
نشر عليها الفلاّحون مواسماً عبر الأدغال

يسوقون الخنازير، البراعم، وأشجار البلوط ومراعي الغاب
الآن إنكسرت كلّ شجرة بروسيّة في مروج ترعاها الخراف

عجز في أعين الفلاّحين، في الوادي المجاور
تتداعى الطبيعة، في هذه الغابات لا توجد أشباح

Hartwig Mauritz

XI

die nacht ist schon bei tag die nacht wiesen
ausgeweidet, gewichen waldgehölz ich hör

wölfe heulen, gesichter sammeln, das maul
gegen sterne stemmen, streunen. die stille klopft

in meinem kopf ein raum aus lauten zimmern
kinder um ein buch geschart, dehnt sich der wald

in ihren schlaf schlagen axt und atem wellen. lecken lefzen
der jäger furchtlos bald fruchtlos der tod

spielt er mit dem leib, tilgt seine spuren
hinter geschlossenen lidern seh ich kinderaugen rollen

stimmen die wölfe ihr heulen an.

هارتفيغ ماوريتس

XI

الّليل دنا إلى النّهار، أُفرغت مروج الّليل،
أُخليت الغابة، أسمع ذئابا تعوي

تتهافت وجوهٌ، موجّهة أفواهها إلى النّجوم
هائمة ، السّكون يقرع في رأسي

بهوٌيتألف من غرف صاخبة،
أطفال يتجمعون حول كتاب أ الغابة تتّسع

وفي نومهم تُصدر الفأس والأنفاس أمواجا،
تلعق شفاها، الصيّاد جسور، والموت

قريبا سيصبح عقيما، يلعب مع الجسد
يمحو أثره خلف أجفان مغلقة، أرى أطفالا يقلبون أعينهم

والذّئاب تترنّم بعويلها

Hartwig Mauritz

XII

keinesfalls rauchen wir gehen spazieren, da liegt noch
das holz rund um die uhr dein flüstern in der luft

bereit für die überführung der flüche auf meine außenhaut
du glaubst nur das, was du siehst, schaust zu boden

die bucheckern fliegen links und rechts zigarettenqualm
in deiner hand glimmt ein stück nacht in uns

bleibt immer ein zimmerrest übrig, solange du löcher
in meine schatten brennst, bleiben blindgänger wir

die dämmerung spricht uns mit ihren flügeln an, die rauschen
hinüber zeugen des lichts, die sterben und schlafen wir länger

in den helleren nächten finden wir den ausstieg nicht
treten wir über das wetter hinaus, bleiben drüben.

XII

تحت أيّ ظرف من الظروف لا تُدخّن، نتمشى،
الخشب مرميٌّ هنا وعلى مدار السّاعة يتطاير همسك في الهواء

إستعدادا لإثبات إدانة اللّعنات على جلدي الخارجي
لا تُصدّقي إلاّ ما ترينه، أُنظري إلى الأرض

ثمن الزّان يتطاير يمينا ويسارا، دُخان السّجائر
في يدك يتوهج، برهة ليل فينا

بقايا غرفة تبقى دوما، لطالما تحرقين
ثقوبا في ظلالي، سنظلّ تائهين

يخاطبنا الفجر بأجنحته، والحفيف
يُدرّ النور، هم يموتون، ونحن ننام طويلا

في اللّيالي المضيئة لم نجد المخرج
نتخطى حدود الطقس، ونبقى على الجانب الآخر

Hartwig Mauritz

felsen *von menschenhand* sand in den spalten, spuren von wind
die bordsteinkantenbruchstellen vor schaufensterkästen
in häusernischen, bäumen laden vögel klingeltöne auf ihre stimmen

verschwinden in kameras gefiltert im stadtwölfeblick
entstehen die arten, ihr atemgeheul, ihre zähne wunden im barcode
die ladenlokale, eine einsame zeile, blendet die augen mit der weite

des sichtbaren lichts schnappen sie essen wind, sie legen die stirn
in den nacken die stahlwände hoch stützt beton den himmel: vögel
von menschenhand, flugspuren, sand.

هارتفيغ ماوريتس

صخرة من صنع البشر، رمال بين الشقوق، آثار ريح
المواضع المنكسرة من حافّة الرّصيف أمام زجاج واجهات المحلّات
في زوايا البيوت، أشجار تُزوّد أصواتها برنّات العصافير
تختفي داخل الكاميرات، تُصفّى في نظرات ذئاب المدينة
تنشأ الأجناس، عويل أنفاسها، أسنانها جروح في الرّمز الشّريطي
المحلاّت، صف وحيد يُعمي العيون بسعة

الإضاءة المرئيّة، تخطفها ، تأكل ريحا، تضع الجبين
على الأكتاف، ترفع الجدران الحديدية عاليا، تُسند الخرسانة السّماء،
عصافير من صنع البشر، آثار طيران، رمال

Hartwig Mauritz

pauli

pflegte ihr jeden tag blumen zu bringen, damit sie
ihm gewogen blieb, nicht feuer fing, ordnete sie die zahlen
neu, um ein neutrino zu formen aus den abfällen

der formeln entdeckten die assistenten neutronen
schrieben artikel am leser vorbei war papier nicht die lösung
zufälle bilden noch keine theorie für partikel, die ihr labor

bewohnten messreihen schwarzer messen. ihre augen verboten ihm
sie zu berühren fuhr er durch ihre stadt, versagte sie auf der etage
bei institutsgründung stürzte die vase um. *du solltest innen*

wasser zugießen. sieh nur das kraut in der hand einen strauß
orchideen kann er züchten. allein es fehlen die farben.

هارتفيغ ماوريتس

اعتاد باولي

أن يجلب لها الزهور كلّ يوم
لتُكنّ له المحبة لا لتشغف به
رتبت الأرقام من جديد لتكون نيوترونون

فضلات المعادلات، هذا ما اكتشفه مساعدو النيوترينو
فكتبوا مقالا لم يُثر إنتباه القرّاء، ألم يكن الورق هو الحل؟
الصّدف مازالت لا تكوّن نظرية للمجسّمات الصغيرة التي تسكن المختبر
وتنوط باللون الأسود سلسلة قياسات ، وأعينها منعته
من أن يلمسها، إن مرّ بمدينتها أخفقت في الطابق

عند تأسيس المعهد سقطت المزهرية، ينبغي عليك

أن تسكبي الماء إلى الدّاخل، أنظري إلى هذه الأعشاب على اليد
يمكنه أن يزرع باقة ورود الأوركيديا، لوحده، لاتوجد ألوان

Dinçer Güçyeter

es hieß aber liebe

regne Regen, schneie Schnee, wehe Wind
die Hornhaut versteht euch sowieso nicht
in einem Pappelschatten ruht meine Zunge
ein Maikäfer beklettert meinen Bauch, eine Amsel singt
schön! schön!

trockne Erde, schweige Himmel, weine Meer
es ist spät geworden, keiner kommt hierher
jeder leckt das Blut von der Haut ab
so geht es allen, so geht es dir und mir

färbe Tinte, säubere Blatt, blende Lampe
sei reif für das einmalige Spiel im Hintergarten
vergilbte Gesichter fallen herab, vor meinem Auge
die Anker am Meeresboden
die auf ein Möwengesicht warten; spät kommt die Taufe
es hieß aber Liebe, die in uns schmerzt
auf dem vom Leben befleckten Kragen

دينشر غوجَيتر

كان اسمه الحب

أمطر أيها المطر ، أثلج أيّها الثلج، هبّي أيتها الريح
على أي حال، لن تفهمكم القرنية
في ظلّ الحور يستريح لساني
تتسلق خنفساء على بطني
ويُغنّي الشحرور طربا جميلا

تيّبسي أيّتها الأرض، أصمتي أيّتها السّماء، إبكي أيّتها الرّيح
أصبح الوقت متأخرا، ولا يأتي أحد إلى هنا
وليلعق كل منكم بلسانه الدّم عن الجلد
هكذا هي حال الجميع، هكذا هي حالك وحالي

إصبغ أيّها الحبر، نظّفي أيّتها الورقة ، أبهر أيّها المصباح
كن مهيئا لمرة واحدة أن تلعب في الحديقة الخلفية
الوجوه المُصفرّة تسقط أمام عيني
والمراسي في قاع البحر
في إنتظار وجه نورس ، ستأتي المعمودية لاحقا
ولكن كان اسمه الحبّ الذي يؤلم فينا
طوق القميص المبقّع بالحياة

Dinçer Güçyeter

bettlerschatten

lege dich wie eine Decke auf mich
sauge mein Elend in deine Fasern auf
stecke eine Rose in die brennende Höhle
schreibe einen Liebesbrief, wenn ich vor Lust sterbe

nimm den Brief mit
Worte, Brandkinder habe ich genug
lasse deine Milch zurück
damit ich nicht heute schon verhungere

gib mir deine wunde

von welchem Baum bist du die Frucht
wer hat dich so tief gebissen
und blind auf meine Erde geschmissen
wo deine Sehnsucht unerträglich blutet
mir die Brust wie Tau feucht hält
obwohl sie meiner Einsamkeit nichts schuldet

ظلّ المتسولين

إستلقي على بطني مثل بطانية
وإمتصّي بؤسي في أليافك
ضعي وردة في كهف يحترق
أكتبي رسالة حبّ ، حين أموت من شدّة الرغبة

إقبلي الرّسالة
بالكلمات ، لدي ما يكفي من تجارب قاسية
إتركي لي حليبك
كي لا أجوع اليوم

أعطني جرحك

فاكهة أيّ شجرة انت
ومن قضمك
ثم رمى بك هكذا على أرضي
حيث شوقك ينزف ، ويُرطّب صدري مثل الندى
رغم انّه لا يدين لعزلتي بشيء

Dinçer Güçyeter

das verborgene gedicht

das Gedicht lebt, meine Geliebte
du hast es nur vergessen

das verborgene Gedicht atmet
in der Schublade meiner Sehnsucht

dir werden neue Hüllen nicht treu bleiben, meine Geliebte
suchen wirst du! In dir das Gedicht anzünden

dein Zimmer wird heller sein, meine Geliebte

دينشر غوجَيتر

القصيدة المتوارية

قصيدتي مازالت تحيا
يا حبيبتي ولكنّك نسيتها فقط

القصيدة المتوارية مازالت تتنفس
في صندوق رغبتي

سوف لن تبقى الأغشية الجديدة وفيّة لك
وسوف تبحثين، يا عشيقتي، في أعماقك ، القصيدة تلتهب جمرا

وحجرتك سوف تكون أكثر إشراقا يا حبيبتي

wunde

frage mich nicht
die Berge verschleiern sich mit dem wiehernden Wind
suche mich nicht
der Meeresboden verrät dir nicht, wo meine Splitter sind
vertone meine Gedichte nicht
die Wörter meiner Narrheit habe ich mit Gegenstößen vertilgt

vergesse das Haus
all seine Säulen habe ich mit Verboten verzinkt
vergesse das Kind
es war einmal, nun ist es in heiligen Geboten ertrunken
vergesse mein Auge
es stand vor deinem Lichtbogen, jetzt in Dunkelheit erblindet

jetzt in aller Ruhe
kehrt der Hirte in sein Dorf zurück: spiele du die Glocken
jetzt in allem Schmerz
zieht er den Dorn aus dem Fleisch: du bist aus mir geronnen
jetzt in der Zeit
ist ein Tausendflügler über deine Kehle geflogen

دينشر غوجَيتر

جرح

لا تسأليني
الجبال تحجب نفسها خلف صفير الرّياح
لا تبحثي عنّي
لن يبوح لك قاع البحر أين هي شظاياي
لا تلحّني قصائدي
كلمات حماقتي محوتها بلطمات معاكسة

عليك أن تنسي المنزل
لقد طليت كلّ أعمدته بالمحظورات
عليك أن تنسي الطفل
الذي كان، وهو غريق الآن في الوصايا المقدّسة
عليك أن تنسي عيني
التي وقفت أمام قوس نورك، ولكنّها فقدت بصرها الآن في الظّلام

الآن ، وبكلّ إسترخاء
يعود الرّاعي إلى قريته، خذي أنت دور الأجراس
الآن، وبكل هذا الألم
تسحب الشوكة اللحم، أنت تتخثرين ذاتي
الآن
تُحلّق ذات الألف جناح فوق نحرك

Dinçer Güçyeter

türkistinte

nach Jahren kehrt in dir die Angst zurück
kreidebleich, schweigsam wie die Mutterstille
in einem nicht angekommenen Brief suchst du das Glück
in deinen Augen eine glockenlose Zeremonie

in eine Melodie stickst du deine leidende Jugend
so kommt der Schmerz zur akzentlosen Sprache
nach Wenden, nach Reife, neu beginnend, suchend
gleitet in mein Herz deine verdurstete Zunge

die Stummheit der andren giftet dich mehr als tausend Schlangen an
die nahtlose Strafe der Mutter schmerzt dich wie tausend Schläge
ein Brief, der dich diese Nacht verschmerzen kann
schreibt sich nicht, verliert die Wege

das kleine Mädchen weint Türkistinte

دينشر غوجَيتر

الحبر الفيروزي

عاد الخوف إليك بعد سنين طويلة
شاحبا، صامتا مثل صمت الأم
في رسالة لم تات بعد يبحث عن السّعادة
في عينيك تراتيل بلا أجراس

في لحن ما تطرز معاناة شبابك
هكذا يأتي الألم إلى لغة خالية من اللّهجة
بعد الوصال ، بعد النضج، بحث
ينزلق لسانك العطشان في قلبي

صمت الآخرين يدسّ السم فيك أكثر من ألف أفعى
عقوبة أمّك الخفيّة تؤلمك مثل ألف ضربة
الرسالة التي تستطيع إيلامك في هذه الليلة
لا تّتصّد أحرفها بذاتها، وتضل الطريق

الطّفلة الصغيرة تبكي حبرا فيروزيا

Reinhard Kiefer

ALLES ist nachgedunkelt
auf den fotos sind die gesichter
der toten kaum zu erkennen
im korridor sind die lampen und
die garderobe unauffindbar
in den büchern sind die entscheidenden
sätze gelöscht

DIE ZIMMER DER VERSTORBENEN werden besichtigt
noch sind die vasen mit gladiolen gefüllt
die vorhänge sind geschlossen und halten das
sonnenlicht ab so kann nichts verbleichen
die stimmen der besucher sind gedämpft
die schritte ebenfalls die hände sind
auf dem rücken verschränkt
augen taxieren den wert aller dinge

راينهارد كيفر

كلّ شيء معتم
في الصُور
تبدو وجوه الموتى ممحوة
في الممرّات
لا يُعثرعلى المصابيح وعلاّقة الثّياب
في الكتب
محذوفة العبارات المُهمّة

زيارة لحجرات الرّاحلين
ما زال السوسن في المزهريات
والسّتائر مغلقة تحجب أشعة الشّمس
كي لا يشحب شيء ويضمحل
أصوات الزائرين خافتة
الخطى هادئة
اليدان مشبوكتان وراء الظهر
والعينان تحدّقان، تُثمّنان كل شيء

Reinhard Kiefer

ROM LIEGT IMMER noch am meer
winters fallen eisige winde über paläste
kirchen wohnhäuser und menschen
regen stürzt über die spanische treppe
unpassierbar sind plätze und strassen
katzen und touristen fliehen
suchen in hauseingängen nach schutz

ab dem zweiten februar verändert
sich die welt die epiphanie der
mimosen beginnt plötzlich sind sie da
hängen über mauern lehnen an wänden
bevölkern gärten und parks
ihr gelbes leben scheint niemals
zu enden

راينهارد كيفر

مازالت روما بجانب النّهر
في الشتاء تهبّ رياح ثلجية فوق القصور
فوق الكنائس والبيوت والبشر
المطر يتساقط فوق الدّرج الأسباني
ولم يعد من السّهل العبور في السّاحات والشّوارع
القطط تهرب ومعها يهرب السيّاح

بحثا عن مأوى في مداخل البنايات
وبدءا من اليوم الثاني من شهر فبراير
يبدأ العالم بالتغيّر
وطقس الغطّاس عند زهرة الميموزا
هل هي موجودة ؟ .. تتدلى على الأسوار ؟ .. تتسلق الجدران، وتعجّ
في الحدائق والمنتزهات ؟

Reinhard Kiefer

ES IST IN ÄGYPTEN gewesen
vor zeiten wurden die
tempel von dächern
befreit (die vögel konnten
ins allerheiligste fliegen)

der priester sprach nicht
zur sonne er sprach nun zum licht
(johannes der evangelist machte
es nach)

راينهارد كيفر

لقد كان هذ في مصر

في زمن سابق
رُفعت عن المعابد أسقفها
(واستطاعت الطيور أن تحلّق إلى المُقدّسات)
لم يتحدث الكاهن
إلى الشمس
بل إلى الضّوء
(كما فعل يوحنا الإنجيلي فيما بعد)

Reinhard Kiefer

DAS KLEINE HAUS auf dem grünen bild
liegt an einem eisenbahndamm
es ist verlassen alle schindeln
sind vom dach geflogen (ein sturm
folgte dem nächsten)
auf der rückseite ist der vorgarten vermutlich
verwildert ein jägerszaun wird umgestürzt
sein und auf der türschwelle verrottet die
zeitung vom vergangenen jahr
dort liegt auch die puppe mit
sehr blassem gesicht

راينهارد كيفر

البيت الصغير في الصّورة الخضراء
الواقع على جسر السكك الحديدية
مهجور، وتطايرت كلّ أضلع سقفه
(عاصفة بعد عاصفة)
ويُعتقد بأنّ الحديقة الخلفية صارت وعرة
وتهاوى السور، على العتبة صحيفة
من السنة الماضية، تآكلت
وثمة دُمية كانت حاضرة
شحب وجهها أيضا

Reinhard Kiefer

KOMMEN WIR ZU einem wirklich
toten gebiet dort wo die pferde
verrosten auf denen raben
ausruhn mit eisernen schnäbeln
sie hacken ins fleisch tief in eine flanke
treffen zuweilen ins auge
unweit davon im forst trägt ein
jäger dem wild die kugel an

راينهارد كيفر

تذهب بالفعل إلى منطقة ميتة
حيث الخيول صدئةٌ وعليها تستريح غربان
ذات مناقير حديدية
تنقر في الأضلاع عميقا، وتنهش
في العين
ليس بعيدا، في الغابة صيّاد
يسدّد طلقة على حيوان برّي

Christoph Leisten

DER HANDLAUF, DIE WÄRME unter den fingern
des morgens, daneben nachrichten vom regen,

die im durchfluss versickern: das ist beinah schon
alles, was dich berührt. ansonsten termine, staub.

wenn wir wenigstens miteinander wachwerden
könnten, hattest du gestern im halbschlaf

gesagt, und ich hielt dabei deine hand.
nur ein paar minuten noch, dann wird sie

den handlauf berühren, die wärme
unter den fingern des morgens. dann,

träfen sich im spiegel unsre blicke, der tag
wendete sich ins blau unter dem pastellierten licht

eines regens, der den staub vom himmel band.

كريستوف لايستين

مقبض اليد، الدفء بين أصابع
الصباح، وعلى الطرف الآخر رسائل المطر

متسرّبة في المجرى، وهذا كلّ الشيء
الذي ظهر تأثيره عليك، ما عدا ذلك مواعيد وغبار

لو أنّنا على الأقل نستطيع الصّحو معا
هذا ما همست به البارحة وأنت مازلت نصف نائمة

وأنا أمسك بيدك
مجرد بضع دقائق، ومن ثمّ

تلمس يدك الدّافئة الدرابزين
بأصابع الصّباح، ثمّ

تلتقي في المرايا نظراتنا، فيأخذ النهار
زرقة تحت ضوء مطر مُشع

ربط غبار السّماء

Christoph Leisten

besuch

für Günter Kunert

wie es gewesen wäre, wenn wir uns weniger
einig, unsere lage weniger aussichtslos,
du weniger recht gehabt hättest: wäre dir mehr

zu gratulieren zu deinem werk? chronisten wie du
werden rar, liveticker sind an die stelle gerückt
und haben anderes zu tun, als notiz zu nehmen

von der vergängnis eines gestirns. am nachmittag
jedoch kommt eine katze zu besuch:
ich weiß nichts von ihr, woher sie kommt,

wohin sie geht. doch sie erinnert mich
an deine dichtung, wie sie mich fragend anschaut,
als wäre von menschen, woher auch immer,

noch irgendetwas zu erwarten.

كريستوف لايستين

زيارة

إلى غونتر كونرت

كما لو أننا أقل إنسجاما فيما بيننا
وحالتنا أقلّ من أن تكون ميؤوسا منها
وأنت أقلّ حقّا بما تقولين، قد تكونين جديرة أكثر بأن

أهنّئك على عملك، المؤرّخون مثلك نادرون
ومراسلو النقل المباشر أخذوا أمكنتهم وهم مشغولون بأشياء أخرى
غير جدولة بعض المعلومات

عن نجم مضى، بعد الظهيرة
تأتي قطّة للزيارة
وأنا لا أدري من أين تأتي

وإلى أين تذهب، ولكنّها تُذكّرني
بشعرك، وكيف كانت تنظر إليّ وعيونها مليئة بالأسئلة
كأنّها من البشر، وكيف علي أن أعرف

وهل مازال هناك ثمة شيء يثنتظر

Christoph Leisten

gischt

als denkbar flüchtigster moment einer schönheit
draußen am meer, wo unterm wind die lüfte
und wasser einander verrauschen für einen
augenblick, sprudelndes standbild organischer
fülle, ins zeitlose gewendet, bis wellen weiter
wellen, über kämme, flutend, mondgeführt,
am ufer spuren hinterlassend von schaum
und getier, linien im sand, so fühlt es sich an,
dies bild, das verschweigt, worin wir uns sehn.

كريستوف لايستين

رغوة الموج

لحظة جمال عابرة يُمكن الشّعور بها
هناك على طرف البحر، حيث في مهبّ الرّيح
يزداد ارتطام الهواء بالماء
صورة أبديّة للطبيعة، حيث يتعالى الموج
إلى ذُرواته، فُيوضا يُسيّرها القمر
تاركة وراءها أثرا على الضفّة، أثر رغوة وكائنات
وخطوطا في الرّمل، هكذا تبدو الصّورة، لا تبوح، أين نرى ذواتنا

Christoph Leisten

kleine epiphanie

licht fließt von den wänden, über
die schwelle, ein arrangement aus der tiefe,

deinen blick dehnend bis zur quelle
zwischen sturz, streben und laibung,

nichts verratend von dem, was sich so
deutlich zeigt, weil es ausgelassen ist.

mag sein, du ahnst dich schon selbst
unter den nighthawks. oder aber: du atmest

drei akkorde, fragmente einer musik,
die für den moment die schichtungen freilegt

des lichts, das tönt in wellen, als würden
wände fortgemalt für den raum, der herberge

sein könnte, oder das rauschen der stille.

كريستوف لايستين

عيد الغطّاس الصّغير

ضوءٌ يتسرّب في الجدران فوق العتبات
ترتيبٌ في الأعماق

نظراتك الممتدة إلى النبع
بين السقوط والطموح والباطن

لا تشي بشيء مما يظهر للعلن
لأن ذلك قد حُذف

ربّما تعرفين ذاتك
من بين صقور الليل، أم أنّك تتنفّسين ثلاثة

إيقاعات ، تقسيمات موسيقا ما
والتي للحظة تكشف طبقات

الضّوء، الصّوت، في موجات، وكأنّ الجدران
مازالت تُطلى من أجل حُجرة، قد تكون المنزل

أو حفيف السكينة

Christoph Leisten

Verheißung

wenn die zeit sich erfüllt, dass du alles vergisst,
die verletzungen aus kindertagen, kriegszeiten,
hinter dir all die jahre, da der engel nicht mehr erschien,
wenn du nurmehr gewohnt wirst, zwischen fremden türen
dein zimmer nicht mehr finden kannst, bis man dich schiebt
eines abends über die flure, um dem fest noch beizuwohnen,
wird der augenblick kommen, der deine lippen bewegt
zur *stillen nacht*, als läge darin große freude, kaum merklich
fast, für einen moment, aber vollendet synchron
im takt jener melodie, die du vergessen hast,
nurmehr ein körper, leibgeworden, und jemand
wird dich finden, wie du wieder das kind bist,
und vielleicht stünde am himmel ein stern.

كريستوف لايستين

وعد

عندما يأتي الوقت، الّذي يُنسيك كلّ شيء
إصابات الطفولة في زمن الحرب
خلفك كل هذه السنوات ، بما أنّ الملاك لم يعد يظهر
إذ تعوّدت أكثر وأكثر أن لاتعثري على غرفتك بين هذه الأبواب الغريبة
إلى أن يدفعك أحد ما
في إحدى المساءات في الممرّ كي تشاركي بالإحتفال
وسوف تاتي اللحظة التي تُدمدمين بها أغنية الميلاد
وكانّ البهجة تغمرك، ولكن بالكاد تظهرينها
للحظة تُردّدينها على إيقاع لحن منسيّ
أو لجسد أصبح اكثر حضورا
أحدٌ ما سوف يجدك، وتستعيدين طفولتك
وربّما يسطع نجم في السّماء

Ludwig Steinherr

Wimpern

Gott - ich höre deine Stimme nicht

wenn du sprichst dann sprichst du zu meinem Herzen

wie das kleine Mädchen

zu seinem Kieselstein flüstert

nachts unter der Bettdecke

bis die Wimpern des Steins zucken

und er selbst zu flüstern beginnt

mit der Stimme des Mädchens

لودفيغ شتاينهير

أهداب

أيها الرب، لا أسمع صوتكَ،

عندما تتكلم، تتحدث إلى قلبي

كما تهمس تلك الفتاة الصغيرة

لحصاتها

ليلاً تحت الغطاء

إلى أن ترتجف أهداب الحصى

وتبدأ بالهمس

مرافقة صوت الفتاة

Ludwig Steinherr

Die Heilige Barbara, porträtiert von Jan van Eyck

Der Turm ihrer Gefangenschaft
gigantisch wie ein gotisches Chrysler-Building -

Ihr Gewand ein tosender Ozean von Falten -

Die Märtyrerpalme hält sie wie eine riesige Schreibfeder
um etwas aufzuschreiben
für das ihr Vater und alle Weisen dieser Welt zu dumm sind -

Wie trotzig ihr blasses Schulmädchengesicht!
Ihr Mündchen ein energischer Strich -

Gieß dein Höllenfeuer über mich aus, Satan!
Reiß mir die Haut mit glühenden Zangen vom Leib!
Brat meine Augen und Brüste auf dem Rost!

Ich mache für dich keinen Tintenklecks
in mein lilienweißes Seelenheft!

القديسة بربارة، وصف لـ جان فان إيك

برجُ إحتجازها
متعال مثل مبنى كرايسلر - القوطي

ثوبها تطفو عليه التجاعيد مثل محيط يهدر

تُمسك بنخلة الفادي كما تمسك بريشة هائلة
كي تكتب شيئاً
يقف أمامه أبوها وكلّ حكماء هذا العالم كالأغبياء

كم هو متآلف وجهها المدرسيّ الشاحب
وفمها الصّغير شريط حيوية

أيها الشيطان
اسكب نارك الجهنمية عليّ،
مزق جلدي عن جسدي بكماشة ملتهبة
وإحرق عينيّ وصدري على شبك الشواء!

لن أجعل لك من ذاتي حبراً سائلاً
في دفتر روحي الزنبقي الأبيض!

Ludwig Steinherr

Nachtgeschichte

Als zu Beginn der Somme-Schlacht
die großen Minen explodierten
bebte ganz Europa -

Vom Knall klirrte noch in London das Porzellan -

Das erzähle ich meiner Teetasse
während ich sie ausspüle
und zärtlich trockenreibe -

Ich halte sie gegens Licht wie ein rohes Ei -

Durch den Tassenboden schimmert
ein angebrütetes Gesicht - eine Geisha -

Was ist das in ihrem Buddha-Lächeln -
ein Äderchen? Ein haarfeiner Sprung in der Schale?

Der übrigens fortläuft
über den Rand der Tasse

die Wand hoch und
quer über die Zimmerdecke

hinaus in die Dunkelheit
wer weiß wohin -

لودفيغ شتاينهير

حكاية الليل

عندما انفجر أكبر لغم
في بداية معركة السوم
اهتزت أوروبا بأكملها -

من شدة الإنفجار تداعى البورسلان في لندن

هذا ما أحكيه لفنجاني
بينما أغسله
وبكل نعومة، أفركه مجفّفا الماء عنه

أمسك به في الضوء كبيضة نيّئة -

في قعر الفنجان يلمع ناضجاً
وجه فتاة الجيشا -

ما هذا الذي يظهر في ابتسامتها - ابتسامة بوذا -
ورريدٌ رقيقٌ؟ أم أنّه تصدّع دقيق في القشرة

شقٌ يمتد على طول حافة جدار الفنجان

الجدار عال
ويمتد متسّعا إلى أعلى السقف

خارجاً إلى الحلكة
وليس من يعرف إلى أين

Ludwig Steinherr

Licht

Von meinen siebenundneunzig früheren Leben
weiß ich nur noch zwei:

Ich war Kiesel in einem Flußbett
dicht am Polarkreis
Die Kälte die ich nicht spürte
war überwältigend
eine mystische Offenbarung -

Dann hatte ich eine Eisenwarenhandlung
in einem Vorort von Birmingham -
Sonntags spielte ich in einer Blaskapelle -
Ich sehe mich an einem Samstagnachmittag
auf dem Ehebett sitzen
Meine rote Uniformmütze zeigt ihr nacktes Futter
Während ich Noten studiere
beiße ich in eine Essiggurke
und meine Frau bückt sich um ihren linken Ohrring zu suchen -

Licht fließt über die Wände
so eisig hell wie das Licht in einem Flußbett
das ich nie sehen konnte -

Dem Kiesel der ich nicht mehr bin
rinnen Tränen übers Gesicht

لودفيغ شتاينهير

ضوء

لا أعرف عن حياتي السبع والتسعين
إلاّ إثنتين:

كنت حصى في قاع نهر
قريب جداً من القطب الشمالي
والبرد الذي لم أشعر به
كان وحياً عظيماً -

كنت أملك حانة لبيع الخردة
على أطراف بيرمنغهام
وفي أيام الأحاد، كنت أعزف في جوقة لآلات النفخ
وكنت تراني في يوم السبت بعد الظّهيرة
جالسا على سرير الزّوجية
وقبّعة بدلتي الحمراء تظهر بطانتها الملساء
وحين كنت أقرأ النوتة
وأنا أقضم خيارة مخلّلة
تنحني زوجتي، وتبحث عن قرطها الأيسر

ضوء يسيل على الجدران
باهراً مثل الضوء في قعر النّهر
الضوء الذي لم أره قطعا -

والحصى الذي لم أعد أكونه
تتدحرج على وجهه قطرات دموع

Ludwig Steinherr

Mögliche Methoden, mir das Leben zu nehmen

Caravaggios Medusa einen Nachmittag lang
in die Augen starren
und dabei versteinern -

Eine Prise Schnupftabak von Caterina de´ Medici annehmen
die mir beim Niesen das Genick bricht

Einen Rundbrief an Mafia, CIA und die Mänaden:
Ich weiß alles!

Einen Pfirsichkern so lange im Mund halten
bis daraus ein Baum wächst
der mit seinen Ästen meine Schädelkuppel sprengt

Zwischen zwei Spiegel treten
und in ihrer blicklosen Ewigkeit
allmählich verschwinden

So viel Espresso trinken
daß mir beim Anblick deiner linken Kniekehle
das Herz stillsteht

لودفيغ شتاينهير

الطرق الممكنة لخيار الإنتحار

أن أحدّق
في عيني كارفاجيو ميدوزا
إلى أن أتحجر
في التّحديق

أن أتنشّق قليلا من تنباك الشّم من نوع كاتارينا دي ميديتشي
الّذي يكسر جذعي حين أعطس

أن أرسل برسالة إلى المافيا ، وإلى وكالة الإستخبارات المركزية الأمريكية
وإلى مرافقات ديونيزوس: أنا أعرف كلّ شيء

أن أمضغ بذرة درّاق
إلى أن تنبت منها شجرة
مخترقة بأغصانها غطاء جمجمتي

أن أدخل بين المرايا
وأختفي رويدا رويدا
في أبديّتها العمياء

أن أشرب كثيرا من قهوة الإسبرّيسو
إلى أن يتوقف قلبي عن النّبض
فيما أنظر إلى ركبتك اليسرى

Volker Sielaff

Neuntes Lied

Ich lese Hafis den Orientalen.
Du kannst ruhig näher kommen
Meine wandelnde Zypresse.
Der Kaffee ist schwarz und gemahlen.

Und bevor ich es vergesse:
Wenn du das Blaue anziehst
Dann werde ich sicher rot
Verschwunden auch meine Blässe.

Ich bin in größter Not.
Du hast mich hingeführt.
Wenn ich Hatem bin
Ist Suleika mein erstes Gebot.

"Dass ich eins und doppelt bin":
Ich stand einmal unter dem Baum
Und habe gedacht ich träume.
Jetzt schreib ich es für dich hin.

فولكر زيلاف

النّشيد التّاسع

أقرأ حافظ الشّرقي
لا بأس، يُمكنك الإقتراب
آه أيّتها المتجوّلة
القهوة داكنة اللّون ومطحونة

وقبل أن أنسى
إن لبست الأزرق
سأتضرّج بالأحمر بكلّ تأكيد
وسيختفي شحوبي

أنا في مأزق
وأنت من أوصلني لهذا
إن كنت حاتم
فزليخة وصيّتي الأولى

"أن أكون الواحد ومضاعفه في آن"
وقفت مرّة تحت الشّجرة
وظننت أنّني أحلم
وها أنا الآن أكتبها لك

Volker Sielaff

Zwölftes Lied

Die Sprache der Liebe gibt es nicht
Es gibt nur die Sprachlosigkeit des Liebens
Die eine Verschwiegenheit ist nach außen
Wir müssen in anderen Sprachen hausen

Die Sprache der Liebe gibt es
Nur zwischen 2 Wolken als Blitz
Wir werden es niemals ändern
Diese Sprache verachtet Besitz

Man lernt sie indem man sie schweigt
Man liest sie einander ab von den Lippen
Man legt sie auf einen Teller als Frucht
Sie ähnelt zerkratzten Füßen auf Klippen

In ihrer Haut steckst du wenn du liebst
Zu dir spricht sie wenn du dich gibst

النّشيد الثّاني عشر

لا وجود للغة الحب
فقط هناك محبّة بدون كلام
الكتمان هذا ظاهريّ
علينا أن نسكن في لغات أخرى

لغة الحبّ موجودة
فقط ما بين سحابتين، كبرق
لن نتمكن من تغييرها أبدا
هذه اللّغة تحتقر التّملّك

نتعلمها حين نتغافل عنها
نقرأها عن الشّفاه
كثمرة نضعها على الصّحن
هي تشبه أقداما مخدوشة على صخور حادّة

تتجسّدها حين تعشق
وحين تستسلم لها تتحدّث إليك

Volker Sielaff

Dreizehntes Lied

Du sollst von Zeit zu Zeit alles verbrennen
Was dir nicht zugehört und dir nur äußerlich ist.
Das Falsche nicht mit dir tragen nicht leben mit List.
Hei wie es knistert das Feuer unter den Kiefernantennen!

Nichts soll deine Verwandlung stören. Was bleibet
Stiften nicht einmal die Dichter. Das Luftholen der Fische
Über dem Wasser das Quaken der Frösche im Tümpel
Und der Glanz auf dem einfach gedeckten Tische.

Komm über den See mit nasser Haut
Bis am Ende der Nacht uns der Morgen blaut.

النّشيد الثّالث عشر

عليك من وقت لآخر، أن تُحرقي كل شيء
كلّ ما يخصّك وما هو سطحي بالنسبة لك
لا تحملي الزّيف معك، لا تهدري حياتك بالخبث
يا لأزيز النّار تحت أعواد الصنوبر

ما من شيء يقلق تحوّلك، وما تبقّى
لا يمكن حتّى للشعراء أن يثيروه
تنشُّق الأسماك للهواء فوق الماء،
نقيق الضفادع في البركة،
تألّق مائدة بأوانيها البسيطة

تعالي فوق البحر ببشرة مُبلّلة
كي ينقضي اللّيل بزرقة الصّباح

Volker Sielaff

Narziss denkt nach und beginnt von vorn

Keine Sorge, ich werde nicht in dem Spiegel verschwinden.
Keine Sorge, ich werde nicht aus dem Spiegel heraustreten.
Auch werde ich nicht meinem eigenen Spiegelbild verfallen,
ich habe keins: Der Spiegel ist leer, sooft ich in ihn hineinschaue.

Alle Dinge in diesem Zimmer gehen durch alle Spiegel hindurch
ohne dass auch nur einer sie abweist, ohne dass auch nur einer sie festhält.
Die Leere ist ein Faden und geht auch durch die Spiegel hindurch.

Die Spinne spinnt draußen ihr Netz.
Sogar in diesem Tropfen: tausend Spiegel – und nichts!

فولكر زيلاف

نرسيس يتأمّل !

لا داعي للقلق، لن أختفي في المرآة
لا داعي للقلق، لن أخرج من المرآة
ولن أخضع لإنعكاس صورتي
فأنا لا أملك أيّا من هذا:
المرآة تبدو فارغة، كلّما نظرت إليها

كلّ الأشياء في هذه الغرفة تخترق كلّ المرايا
دون أن يرفضها أحد، دون أن يمسك بها أحد
الفراغ خيط يخترق المرايا أيضا

العنكبوت ينسج شبكته في الخارج
حتّى في هذه القطرة ألف مرآة ولا شيء

Volker Sielaff

Die Dinge

Es ist nur dieser kleine Ausschnitt im Hof
ein Stück Aussicht, die ich habe von meinem
Fenster. Wenn der Platz unter der Birke

verwaist ist, künden die herumliegenden Dinge
von zahllosen, vorläufig aufgekündigten
Anwesenheiten, ein alter Kessel ohne

Klang. Dann füllt er sich mit Wasser, Stimmen.
Die Kinder kommen in den Hof gelaufen, nehmen
was geduldig war unter der Birke, in Besitz.

فولكر زيلاف

الأشياء

إنّها تلك المساحة الصّغيرة من الفناء فحسب
أطلّ من خلف نافذتي على جزء من منظر،
عندما يتيتّم المكان

تحت شجرة البتولا، تعلن الأشياء المتناثرة
عن الأعداد اللامتناهية من الحضور المُقال مؤقتا
مرجل عتيق لا رنين له

ومن ثمّ يمتلئ بالماء، بالأصوات
فيتراكض الأطفال إلى الفناء
ويستولون على ماكان يتحلّى بالصبر تحت شجرة البتولا

Ahmad Eskander Suleiman

1

Klopf nicht an die Tür.
hinter ihr eine Vergangenheit,
die niemanden empfängt.

2

An die Nägel,
die ich in mein Herz geschlagen haben,
hänge ich Bilder

3

in der Luft zerstreut,
wie die Pollen,
suche ich dich.

4

Wie ein Wölf habe ich geheult.
Sie haben wie ein Hund gejault.
keiner verstand den Anderen

أحمد إسكندر سليمان

1

لا تطرق هذا الباب
وراءه ماض
لايستقبل
أحدا

2

المسامير
التي غرزتها في قلبي
علّقت عليها
صورك

3

مُبددا في الأثير
كغبار طلع
يبحث
عنك

4

كنت أعوي
وكانوا دائما ينبحون
ولم يفهم أحدنا
الآخر

Zweiter Text

als wären die Wölfe,
die ersten Wölfe,
die alten Wölfe,
deren Haut wir anzogen
die Wölfe,
die wir vor Tausende Jahren töteten,
damit wir ihr Tretereien bewohnen
die Wölfe, die heute unseren Körpern innewohnt
und wir heulen,
als wir einen Leib beweinen
oder ein verlorenes Paradies
in einer verlorenen Tinte.

أحمد إسكندر سليمان

النص الثاني

وكأنّها الذئاب
الذئاب الأولى
الذئاب القديمة
التي ارتدينا جلودها
الذئاب
التي قتلناها
منذ آلاف السنين
كي نستوطن أرضها
الذئاب
التي تستوطن
الآن
أجسادنا
فنعوي
وكأنّنا نبكي
جسدا
أو فردوسا ضّالا

Ahmad Eskander Suleiman

Dritter Text

Alles, was geschehen ist,
dass eine blinde Frau,
die die Lust nicht kannte,
mit mir schwanger war
Sie sah, dass der frisch heiße Geborene,
den sie in die Arme nahm
und ihm einen Namen geben wollte,
verbrannte Hände
Sie ließ ihn abfallen
in die verlorene Tinte
bis heute.

النّص الثالث

كلّ ما حدث
أنّ امرأة عمياء
لم تعرف اللّذة
حبلت بي
ورأت
أنّ الوليد الحّار الذي تناولته لتعطيه اسما
أحرق يديها فأسقطته
وما زال يسقط
في الحبر
الضّال
حتى
الآن

vierte Text

Die wissenschaftliche Bücher belegt,
dass ich aus der Arten,
die vor Millionen Jahren
aus dem Wasser stammen
Der Familien-Stammbaum,
die mit Sultanen, Fürsten, und Scheikhs geschwächt wurde, belegt,
dass ich Nachkömmling der Heiligen bin.
in einem Buch für die Abstammungswurzeln steht niedergeschrieben,
ihn hat man vor fünf Hundert Jahren gestohlen,
damals als die letze Familienzitadelle fiel
Die mich wirklich verwirren,
diejenigen die aus der gleichen Wurzel stammen
Doch ich ähnele ihnen nicht
als ich der Sohn der verlorenen Tinte wäre
als ob ich der
und während ich auf das Meer blicke,
berühre was hinter meinem Ohr ist,
auf der Suche nach meinen verborgenen Flossen
und ich, ich fühle die Sehnsucht

أحمد إسكندر سليمان

النص الرابع

تقول كتب العلوم
بأنّني من النوع الذي خرج من الماء
قبل ملايين السنين
وتقول شجرة العائلة
المُنهكة
بأسماء السلاطين والأمراء والشيوخ
بأنّني من نسل مقدّس
مثبت في كتاب للأنساب
سُرق قبل خمسمائة عام
عند سقوط قلعة العائلة الأخيرة
الذين يُربكونني حقا
هم الذين انحدروا من نفس الجذور
و لا أتشابه معهم
وكانّني
ابن حبر ضّال
وكأنّني التقهقر المغاير
وحين أنظر إلى البحر
أتلمس ماوراء أذنيّ
باحثا عن غلاصمي المتوارية
وأنا أشعر
بالحنين

Fünfter Text

Ismail,
ich mochte diesen Namen,
nicht weil er der Name meines ersten Urgroßvater
der Sohn der legendären Abrahams
nicht weil er der Name meines Bruders,
den ich nie kennengelernt habe.
nicht weil ich der Enkel der vor Tausend Jahren Geflohenen
aus Ägypten nach Eleate
nicht weil mein Dichter-Freund
ein Gedicht unter diesen Namen schrieb.
uns nicht weil dieser Name bedeutet,
dass Gott hört
Ich möchte diesen Namen
weil eine Frau mochte, dass ihr Name Hagar ist,
Sie suchte einen Man, und mochte ihn Ismail nennen
als wir uns zum ersten Mak trafen, wusste ich,
dass ich sie seit Jahrtausenden kennen
und sie ist, die ich suche
Doch als sie mich sah, rief mich "Ismail"
fühlte ich meine Enttäuschung,
dass mein Name nicht Ismail ist,
sondern Ahmad Eskander Sulemein
derjenige, der hinter seiner unendlichen Zeiten verborgen ist
seine Masken unzählig sind
der gerade dieses Gedicht
ISMAIL betiteln möchte.

النص الخامس

اسماعيل
أحببت هذا الاسم
ليس لأنه الجدّ الأول
ابن ذلك الرجل الأسطوري أبرام
ليس لأنه اسم شقيقي الذي لم أعرفه أبدا
ليس لأنني حفيد السلالة الهاربة من بلاد المصريين
إلى بلاد الإيليين
قبل ألف عام
ليس لأن صديقي الشّاعر
يكتب قصيدة بهذا العنوان
وليس لأن هذا الاسم يعني
بأن الله يسمع
أحببت هذا الإسم
لأن امرأة أحبت أن يكون اسمها هاجر
كانت تبحث عن رجل أحبت أن تسميه اسماعيل
حين التقينا للمرّة الأولى
أيقنت بأنني أعرفها منذ آلاف السنين
وبأنّها المرأة التي أبحث عنها
ولكنها حين رأتني ونادتني باسماعيل
شعرت بالخيبة حقا لأنني لست اسماعيل
بل أحمد اسكندر سليمان
ذلك المتواري وراء أزمنته الكثيرة
وأقنعته التي لاتحصى
والذي يرغب الآن
أن يوقّع هذه
القصيدة
باسم
اسماعيل

Biografien

Fouad EL-Auwad, *1965 in Damaskus (Syrien). Lyriker, Erzähler, Übersetzer, Publizist, Herausgeber, Bildender Künstler sowie Initiator und Kurator des „deutsch-arabischen Lyrik-Salons". Neben zahlreichen eigenen Gedicht- und Prosabänden (zuletzt erschien u.a. der Gedichtband „mit den buchstaben unterwegs", 2014) sind von ihm diverse Bücher unterschiedlicher Genres sowohl ins Deutsche als auch ins Arabische übersetzt und herausgegeben worden. Beiträge in renommierten Anthologien und Zeitschriften. Er arbeitet für verschiedene deutsche Zeitungen und Rundfunkanstalten.

José F. A. Oliver, *1961 in Hausach. Andalusischer Herkunft, Lyriker, Prosaautor, Essayist, Übersetzer sowie Initiator und Kurator des Literaturfestivals „Hausacher LeseLenz". Zahlreiche Auszeichnungen, u.a. Thaddäus-Troll-Förderpreis (2009), Joachim-Ringelnatz-Preis (2012), Stipendium der Kulturakademie Tarabya in Istanbul (2013) sowie Basler Lyrikpreis (2015). Zuletzt erschienen u.a. die Bände „fahrtenschreiber" (Gedichte, 2010), „Fremdenzimmer" (Essays, 2015) und „Gastling" (Neuauflage, 2015).

Franco Biondi, *1947 in Forlì (Italien), lebt in Hanau. Romancier, Lyriker, Herausgeber und Essayist. Ausgezeichnet u.a. mit der Ehrengabe der Bayerischen Akademie der Schönsten Künste (1983) und dem Adelbert-von-Chamisso-Preis (1987). Diverse Herausgaben und Einzelpublikationen. Publizierte u.a. die Lyrikbände :"Ode an die Fremde, Gedichte", Avlos Verlag, 1995. "Giri e rigiri, Gedichte" Italienisch-Deutsch, Brandes & Apsel, 2005. Zuletzt erschienen die Romane „Karussellkinder" (2007) und „Kostas stille Jahre" (2012). Beiträge in zahlreichen Zeitschriften und Sammelwerken.

SAID, *1947 in Teheran (Iran). Lyriker und Autor von Prosa, Hörspielen und Kinderbüchern. Diverse Auszeichnungen, u.a. Adelbert-von-Chamisso-Preis (2002), Goethe-Medaille (2006) und Literaturpreis des Freien Deutschen Autorenverbandes (2010). Neben Beiträgen in wichtigen Anthologien zahlreiche eigenständige Veröffentlichungen, zuletzt u.a. „Ruf zurück die Vögel (2009), „Das Niemandsland ist unseres" (2010) und „parlando mit le phung" (2013).

Ingrid Fichtner, *1954 in Judenburg (Österreich). Lyrikerin und Übersetzerin. Mehrere Auszeichnungen, zuletzt u. a. Stipendium Schloss Wiepersdorf (2002) und Anerkennungsgabe der Literaturkommission der Stadt Zürich (2012). Neben Beiträgen in renommierten Sammelwerken (u.a. im „Jahrbuch der Lyrik“) mehrere Einzeltitel, zuletzt „Lichte Landschaft (2012) und „Von weitem“ (2014).

Anton G. Leitner, *1961 in München. Lyriker, Herausgeber, Verleger der Zeitschrift „Das Gedicht“. Mehrere Auszeichnungen, u.a. Victor Otto Stomps-Preis (1997), Kogge-Förderpreis (1999) und Bayerischer Poetentaler (2015). Neben diversen Herausgaben und Beiträgen in vielen renommierten Anthologien (u.a. in „Der Große Conrady“) zahlreiche Einzeltitel, zuletzt u.a. „Die Wahrheit über Uncle Spam und andere Enthüllungsgedichte“ (2011) sowie „Kopf. Bahnhof“ (2013).

Francisca Ricinski, * in Tupilati (Rumänien), lebt in Bonn. Autorin von Lyrik, Kurzprosa, Theaterstücken und Kinderliteratur, zudem Übersetzerin und Mitherausgeberin des Literaturmagazins „Dichtungsring“ sowie Redakteurin der Literaturzeitschrift „Matrix“. Mehrere Literaturpreise, u.a. Theaterpreis Convorbiri literare (Iasi/Rumänien). Beiträge in zahlreichen Zeitschriften und Anthologien. Zuletzt erschienen die Bände „Immerwo. Lyrische Prosa“ (2010) und „Als käme noch jemand“ (2014).

Hedil Al-Rashid, geboren in Basra (Irak) als Kind deutsch-irakischer Eltern, lebt seit den neunziger Jahren in Deutschland, Lyrikerin, Malerin, seit 2003 tätig als Übersetzerin und Islamwissenschaftlerin bei der Landesregierung NRW. Neulich erschien ihr zweisprachiges lyrisches Debüt (Deutsch/Arabisch) „Denkst du an meine Liebe?“ (2015), eine Sammlung von Liebesgedichten, Herausgeber Fouad El-Auwad.

Almas Mustafa, geboren in Sulaimaniyya, im Nordirak. Zurzeit lebt sie als Lyrikerin zwischen Kurdistan und Schweden. Zahlreiche Veröffentlichungen in Zeitschriften. Sie schreibt auf Kurdisch.

Biografien

Hartwig Mauritz, *1964 in Eckernförde. Lyriker. Mehrere Literaturpreise, zuletzt u.a. Desdner Lyrikpreis (2012) und Floriana (2. Preis, 2014). Neben Beiträgen in renommierten Zeitschriften und Anthologien (u.a.: im „Jahrbuch der Lyrik") drei eigenständige Lyrikbände, zuletzt „Biotope" (2008) und „Rumor der Frösche auf den dünnen Flächen der Physik" (2012).

Dinçer Güçyeter, *1979 in Nettetal. Schauspieler, Schriftsteller, Herausgeber und Verleger. Theaterengagements u.a. in Köln und Essen. Lyrik und Prosa in Anthologien und in mehreren Einzelpublikationen. Zuletzt erschienen „Ein Glas Leben" (Gedichte, 2012), „anatolien blues" (Gedichte, 2012) und „Die grüne Strickjacke" (Roman, 2013).

Reinhard Kiefer, *1956 in Nordbögge. Lyriker, Romancier, Prosaautor, Essayist und Herausgeber. Ausgezeichnet mit mehreren Literaturpreisen, u. a. dem Literaturförderpreis der Stadt Aachen. Neben Publikationen in zahlreichen renommierten Zeitschriften und Anthologien diverse Einzeltitel, zuletzt u. a. „Die Wiedereinführung der Sprichwörter. Ein Satzbau II (2009, 2015), „Marokkanische Geschichten" (2011) und „Die Goldene Düne. Marokkanisches Tagebuch 1983-2013 (2015).

Christoph Leisten, *1960 in Geilenkirchen. Lyriker, Prosaautor, Essayist sowie Mitherausgeber der Zeitschrift „Zeichen & Wunder". Zuletzt erschienen die Bände „Marrakesch, Djemaa el Fna" (Prosa, 3. Aufl. 2013) sowie der Gedichtband „bis zur schwerelosigkeit" (2010). Beiträge u.a. im „Jahrbuch der Lyrik" und in „Der Große Conrady".

Ludwig Steinherr, *1962 in München. Lyriker. Mehrere Auszeichnungen, u.a. Evangelischer Buchpreis (1999) und Hermann-Hesse-Förderpreis (1999). Neben Veröffentlichungen in renommierten Zeitschriften und Anthologien (u.a. in „Der Große Conrady") diverse Einzeltitel, zuletzt u.a. „Flüstergalerie" (2013) und „Nachtgeschichte für eine Teetasse" (2015).

Volker Sielaff ,*1966 in Großröhrsdorf. Lyriker und Essayist. Mehrere Auszeichnungen, u.a. Förderpreis zum Lessing-Preis des Freistaates Sachsen (2007) und Ehrengabe der deutschen Schillerstiftung (2015). Neben Publikationen in renommierten Zeitschriften und Anthologien (u.a. im „Jahrbuch der Lyrik“) bislang drei Einzelbände, zuletzt „Selbstporträt mit Zwerg“ (2011) und „Glossar des Prinzen“ (2015).

Ahmad Eskander Suleiman, *1955 in Jableh (Syrien), lebt seit einem Jahr in Rostock. Dichter, Bildhauer und Publizist. Mehrere Ausstellungen. Mitherausgeber der Zeitschrift ALEF für das neue Schreiben. Von 2004 bis 2011 Mitorganisator des Jableh-Festivals für internationale Kultur. Zahlreiche Lyrikveröffentlichungen in arabischer Sprache.

Fouad EL-Auwad Hrsg.

فؤاد آل عواد

Zartheit des feuers

نُعومَةُ النّار

gedichte

قصائد

www.lyrik-salon.de

Lightning Source UK Ltd.
Milton Keynes UK
UKHW010956281220
376014UK00002B/454